BALISES

Collection dirigée par Henri Mitterand
Série "Les écrivains" dirigée par Dominique Rincé

G000054751

Montesquieu

- **des repères pour situer l'auteur et ses écrits**

- **une analyse des grandes œuvres sous forme de résumés ou de descriptifs et de commentaires**

- **des groupements thématiques, des sujets de travaux, une bibliographie**

Jeanne et Michel Charpentier

Sommaire

REPÈRES

Introduction 3
La vie de Montesquieu 5
Chronologie 9
Synthèse générale 12

LES GRANDES ŒUVRES

LE ROMANCIER 21
Lettres persanes 21
Le Temple de Cnide 52
L'histoire véritable 54
Arsace et Isménie 55

L'HISTORIEN 57
Considérations 57

LES LIVRES DE RAISON 67
Spicilège 67
Mes pensées 68

LE SOCIOLOGUE ET L'HUMANISTE 73
De l'Esprit des lois 73

Conclusion 105

ANNEXES

Groupements thématiques 107
Anthologie critique 112
Recherches et exercices 116
Lexique 123
Bibliographie 127

© Éditions Nathan 1994, 9 rue Méchain – 75014 Paris
ISBN 2-09-180508-4

Introduction

De son château de La Brède, aux murs épais, couronnés de tourelles et cernés de douves, Montesquieu s'est construit une sorte de roman historique rehaussant sa naissance (1689), qu'il fait remonter aux Francs. Très attaché à ses terres et à son vignoble, indépendant vis-à-vis du pouvoir souverain et des intendants, bien différent des courtisans qui mendient les faveurs royales, il est un des derniers représentants de la noblesse libre que Richelieu, puis Louis XIV, ont voulu faire disparaître. Son entourage familial, et son éducation à Juilly, où il découvre Descartes et Malebranche, le rattachent au siècle qui l'a vu naître.

Observateur attentif de l'évolution des esprits et des mœurs* sous la Régence – dont il apprécie la liberté et les délices –, cet esprit méthodique et abstrait devient un auteur précoce qui annonce les Lumières. Pourtant l'œuvre de Montesquieu est achevée lorsque paraît le premier volume de l'*Encyclopédie*. Et personne ne peut dire si ce philosophe rationaliste, ce moraliste serein, ce sociologue modéré aurait poussé son aversion du despotisme* jusqu'à faire siennes les idées de Diderot et de ses collaborateurs.

Toutes les stratégies adoptées pour expliquer l'œuvre de Montesquieu se heurtent à de multiples obstacles. Comment des livres aussi différents que les *Lettres persanes*, les *Considérations* et l'*Esprit des lois* ne brouilleraient-ils pas les pistes ? Connu comme historien, comme biologiste et comme géologue, un jeune magistrat érudit livre d'abord un roman épistolaire, les *Lettres persanes*, fantaisie exotique et endiablée, souriante et énigmatique, éloquente et satirique, languissante et voluptueuse, dont le succès tapageur éclipse la « chaîne secrète ». Le magistrat vend sa charge, au grand scandale de l'opinion, mais se drape dans sa toge la plus solennelle : ses *Considérations* transmettent au siècle des Lumières un classicisme d'inspiration romaine et lui apprennent comment chercher en philosophe le sens de l'histoire. Il faut attendre 1748 pour que la parution de l'*Esprit des lois*

3

REPERES

découvre, non seulement l'œuvre d'un jurisconsulte qui a refusé de cautionner la justice de son siècle, mais surtout l'aboutissement des réflexions menées durant une vie tout entière par le premier adepte de la science politique. On constate donc qu'il n'existe pas de cloisons étanches ou de sphères de compétence chez Montesquieu, et les journaux intimes de l'écrivain, ses *Pensées*, son *Spicilège*, à mesure de leur publication récente, confirment l'unité profonde de cet homme aux intérêts si divers : « Si [...] je me vois dans un labyrinthe obscur, plein de routes et de détours, je crois que je tiens le bout du fil, et que je puis marcher » (*Esprit des lois*, XXX, 2).

La vie de Montesquieu

De La Brède à Paris

Tenu sur les fonts baptismaux par un pauvre mendiant de la paroisse, Charles-Louis de Secondat est né en janvier 1689 à La Brède, près de Bordeaux. Il descend d'une longue ligne terrienne dont le château et la seigneurie de La Brède constituent à la fin du XVIIe siècle le joyau et le symbole. Sa carrière dans la magistrature paraît toute tracée, car il est l'aîné d'une famille où règne une forte discipline et son oncle, président à mortier au Parlement de Bordeaux, lui destine sa charge.

Marqué par la mort prématurée de sa mère et élevé d'abord parmi les paysans de La Brède, il est envoyé à onze ans au collège des Oratoriens de Juilly : leur enseignement, très moderne, car dispensé en français et axé sur les langues vivantes, l'histoire, la géographie et les mathématiques, donne aux élèves un goût très vif pour les idées. À Juilly Charles-Louis de Secondat rédige en latin une *Historia romana*, retraçant l'histoire de Rome des origines jusqu'à l'Empire, et une tragédie en vers, *Bristomare*, inspirée par un roman de la Calprenède, *Cléopâtre*. En 1705, il revient à Bordeaux étudier le droit. Reçu avocat au Parlement en 1708, il part à Paris perfectionner sa formation et mène une vie studieuse dont témoignent son *Discours sur Cicéron* (1709), ses résumés de lectures juridiques regroupés dans les six volumes de sa *Collectio juris* et les notes qu'il commence à transcrire dans son *Spicilège*. Ce Gascon est arrivé presque du bout du monde : on le regarde, on se moque de ses manières et de son accent. Mais son dépaysement l'initie à un art de vivre teinté d'épicurisme et favorise une observation qui devient vite sociologique.

Un magistrat, un savant et un philosophe

La mort de son père (1713) le rappelle à Bordeaux. Il y devient conseiller au Parlement, se marie à une riche calviniste, Jeanne de Lartigue, puis hérite de son oncle ses terres, son nom – de Montesquieu –, sa fortune et sa charge de président à mortier.

Montesquieu devient rapidement une personnalité de Bordeaux par ses fonctions, son assise terrienne et ses relations mondaines. Nommé membre de l'Académie des sciences de sa ville, il compose des mémoires scientifiques – *Sur les causes de l'écho, Sur les glandes rénales* – et annonce son projet d'*Histoire physique de la terre ancienne et moderne*. On l'admire, mais on s'inquiète de sa *Dissertation sur la politique des Romains dans la religion* où il soutient que les croyances sont des produits artificiels créés par les chefs politiques pour maintenir le peuple soumis.

Magistrat sans vocation, Montesquieu apporte beaucoup d'application dans son métier. Siégeant au pénal, il acquiert une grande expérience du droit criminel. Son *Discours de rentrée au Parlement de Bordeaux*, révèlera en 1725 sa conviction que la justice doit être éclairée, prompte, universelle et humaine. On découvre dans ce texte des accents de sincérité qui ne sauraient tromper sur le sentiment éprouvé par le président de participer à l'exécution d'une justice déplorable à bien des égards.

La séduction de Paris et des voyages

La vie littéraire et mondaine offre à Montesquieu le plus agréable des dérivatifs à une profession qui le déçoit. Il se rend à Paris tous les ans, se plaît dans le milieu libertin qui entoure le Régent, se lie d'amitié avec la sœur de ce dernier, pour qui il rédigera en 1724 un conte empreint de sensualité, *Le Temple de Cnide*. Dans le salon de Madame de Lambert, qui a décidé de faire de lui un académicien, il fréquente Fontenelle, Marivaux, d'Argenson, le président Hénault et Adrienne Lecouvreur. La difficulté vient de ce que Montesquieu est l'auteur d'un écrit anonyme, publié à Amsterdam en 1721 et dont l'impertinence choque le cardinal Fleury, les *Lettres persanes*. Il doit avouer son œuvre et accepter la réputation d'être le plus profond et le plus mordant des beaux esprits.

De plus en plus las de ses fonctions, Montesquieu conquiert sa liberté en vendant en 1726 sa charge de président à mortier. Cette cession, grossie par ses revenus de propriétaire terrien et l'extension de son vignoble, lui assure l'indépendance matérielle. Un autre de ses desseins réussit : en 1728, malgré les réserves du cardinal Fleury, il est élu à l'Académie française. Ce succès ne le fixe pas à Paris.

Désireux, comme son illustre compatriote Montaigne, de confronter ses lectures avec l'expérience vivante de l'étranger, et cherchant à faire valoir ses aptitudes diplomatiques, il entreprend de 1728 à 1731 un long périple à travers l'Europe. Une véritable enquête critique le mène à Vienne où il étudie la décentralisation autrichienne, en Hongrie où il observe les survivances du régime féodal, à Venise où il rencontre Law et se montre déçu du régime républicain, à Turin où il découvre le fonctionnement d'un régime despotique, à Rome où son initiation aux chefs-d'œuvre artistiques ne l'empêche pas de constater les effets néfastes du pouvoir ecclésiastique sur les mœurs, à Berlin où il analyse le despotisme prussien, en Hollande qu'il compare à la Salente de Télémaque, en Angleterre enfin où il s'émerveille de l'extrême liberté laissée aux citoyens.

Le sens de l'histoire

Montesquieu a réuni sur les institutions et les mœurs de pays visités des informations précieuses. De retour à La Brède en 1731, il sait que son avenir est dans son œuvre : il compte maintenant dans toute l'Europe des correspondants qui le tiennent au courant des discussions philosophiques ou politiques, il multiplie ses lectures et les résume en de gros recueils – *Geographica*, *Politica*, *Anatomica*, *Juridica*, *Collectio juris* –, rédige ses *Voyages*, poursuit son *Spicilège*, où il rassemble des extraits de presse manuscrits ou découpés et des comptes rendus de conversations tenues durant ses voyages, livre dans ses *Pensées* une première ébauche de ses thèmes majeurs, songe à une histoire de Louis XV.

Toutes ses notes, tous ses essais montrent sa volonté de trouver une signification à l'histoire. En 1734 ses *Réflexions sur la monarchie universelle en Europe* constatent que la diversité des législations interdit d'établir la monarchie dans tous les pays. La même année ses *Considérations sur les causes de la grandeur des Romains et de leur décadence* constituent un livre précurseur où l'aventure de Rome illustre l'histoire de toutes les sociétés.

Le testament d'une vie

La genèse de l'*Esprit des lois*, entendue au sens strict, s'étend sur quinze années, de 1734 à 1748 : libéré des *Consi-*

dérations, Montesquieu se trouve disponible pour la rédaction de son grand ouvrage, dont il a sans doute conçu l'idée dès 1728 et pour lequel il a accumulé documentation et réflexions. Même s'il passe tous les hivers à Paris, fréquentant les salons de mesdames de Tencin, du Deffaud, Geoffrin, Dupré de Saint-Maur, il se consacre désormais à écrire sur la nature* des lois et sur leurs rapports entre elles. Il communique dès 1736 une partie de l'*Esprit des lois* à son ami d'Argenson. Entre 1739 et 1741 au plus tard l'ouvrage existe dans ses grandes lignes, comme Montesquieu l'écrit en février 1742 au président Barbot : « Mon ouvrage augmente à mesure que mes forces diminuent. J'en ai pourtant dix-huit livres à peu près de faits et huit qu'il faut arranger. »

Atteint de la cataracte, l'écrivain devient presque aveugle, travaille néanmoins huit heures par jour, modifie son plan, multiplie les additions et dicte ce qu'il ne peut plus rédiger. En 1747 il fait recopier son œuvre et décide de la confier à un éditeur genevois : la censure empêchait de faire publier en France un ouvrage portant sur la politique et la religion. Les livres XXVII, XXVIII, XXX et XXXI s'ajoutent tardivement à l'ensemble, paru en octobre 1748.

Le succès est immense, attesté par vingt-deux éditions successives en quelques années. Aux attaques des Jésuites et des Jansénistes, Montesquieu répond par une *Défense de l'*Esprit des lois. L'ouvrage est mis à l'index, mais son auteur rejoint le camp des philosophes : il rédige l'article « Goût » pour l'*Encyclopédie* où son disciple le chevalier de Jaucourt relaie ses théories.

En 1754 Montesquieu publie une réédition des *Lettres persanes* comportant onze lettres nouvelles, et précédée de *Quelques réflexions sur les* Lettres persanes. Peu après, il meurt à Paris (en février 1755), d'une congestion pulmonaire, sans céder aux exigences d'un confesseur jésuite qui lui réclame des corrections aux *Lettres persanes*. Quand en 1796 le Conseil des Anciens voudra accorder à Montesquieu les honneurs du Panthéon, on ne pourra retrouver sa dépouille, jetée dans les catacombes durant la Terreur.

VIE ET ŒUVRE DE MONTESQUIEU	ÉVÉNEMENTS POLITIQUES, SOCIAUX ET CULTURELS
	1685 Révocation de l'édit de Nantes.
	1686 Chardin, *Voyage en Perse et aux Indes orientales.*
	1688 La Bruyère, *Caractères.*
1689 Naissance de Charles-Louis de Secondat au château de La Brède.	**1689** Malebranche, *Entretiens sur la métaphysique et la religion.* Locke, *Traité sur la tolérance.*
	1690 Locke, *Essai sur l'entendement humain.*
1696 Mort de sa mère.	
	1697 Bayle, *Dictionnaire historique et critique.*
	1699 Fénelon, *Les Aventures de Télémaque.*
1700 → **1705** Études chez les Oratoriens de Juilly.	
	1701 → **1715** Guerre de succession d'Espagne.
	1702 → **1705** Révolte des Camis/ds dans les Cévennes.
	1704 Galland, traduction des *M/lle et Une Nuits.*
1705 *Historia romana.* *Bristomare*, tragédie. → **1708** Études de droit à Bordeaux. Charles-Louis de Secondat prend le nom de Montesquieu que lui lègue son oncle.	
	1706 Swift, *Le Conte du tonneau.*
	1708 Regnard, *Le Légataire universel.*
1709 → **1713** Premier séjour à Paris.	**1709** Lesage, *Turcaret.*
1713 Mort du père de Montesquieu. Retour à Bordeaux.	**1713** Bulle *Unigenitus.* Tavernier, *Voyage en Turquie, en Perse et aux Indes.*

REPERES

VIE ET ŒUVRE DE MONTESQUIEU	ÉVÉNEMENTS POLITIQUES, SOCIAUX ET CULTURELS
1714 Conseiller au Parlement de Bordeaux.	
1715 Mariage avec Jeanne de Lartigue. *Mémoire sur les dettes de l'État.*	**1715** Mort de Louis XIV. Début de la Régence de Philippe d'Orléans, qui restitue au Parlement le droit de remontrance. Lesage, *Gil Blas de Santillane.*
1716 Élection à l'Académie de Bordeaux. Héritage de la charge de président à mortier du Parlement de Bordeaux. *Dissertation sur la politique des Romains dans la religion.*	**1716** Système de Law.
1717 → **1720** Rédaction de mémoires scientifiques.	
1718 Commencement du *Spicilège.*	**1718** Quadruple alliance, œuvre de Dubois. Voltaire, *Œdipe.*
1720 Commencement des *Pensées.*	**1720** Banqueroute de Law.
1721 Les *Lettres persanes.*	
1722 Installation à Paris, où il passe plusieurs mois chaque année, fréquentant la Cour et les salons. Les *Lettres persanes* interdites par le cardinal Dubois. Début de la composition du *Dialogue de Sylla et d'Eucrate.*	**1722** Marivaux, *La Surprise de l'amour.*
	1723 Début du règne personnel de Louis XV.
1724 *Considérations sur les richesses de l'Espagne.*	
1725 *Le Temple de Cnide*, roman. *Discours de rentrée au Parlement de Bordeaux.*	
1726 Vente de sa charge de président.	**1726** Ministère Fleury.
1728 Réception à l'Académie française. → **1729** Voyages en Autriche, Hongrie, Italie, Allemagne, Hollande.	

VIE ET ŒUVRE DE MONTESQUIEU	ÉVÉNEMENTS POLITIQUES, SOCIAUX ET CULTURELS
1731 Retour à La Brède.	**1731** Voltaire, *Histoire de Charles XII*.
	1732 Boulainvilliers, *Essai sur la noblesse de France*.
1734 *Considératons sur les causes de la grandeur des Romains et de leur décadence.* *Réflexions sur la monarchie universelle en Europe.*	**1734** Voltaire, *Lettres philosophiques.* → **1748** Saint-Simon, *Mémoires*.
1735 → **1746** Rédaction de l'*Esprit des lois*.	
1736 *Essai sur les causes qui peuvent affecter les caractères.*	**1739** Frédéric II, *L'Anti-Machiavel*.
	1741 → **1748** Guerre de succession d'Autriche.
1742 *Arsace et Isménie*, roman philosophique. La vue de Montesquieu s'affaiblit progressivement	
	1746 Diderot, *Pensées philosophiques*.
1748 *De l'Esprit des lois.*	**1748** Paix d'Aix-la-Chapelle. Voltaire, *Zadig*.
	1749 Diderot, *Lettre sur les aveugles à l'usage de ceux qui voient*.
1750 *Défense de l'*Esprit des lois.	**1750** Rousseau, *Discours sur les sciences et les arts*.
1751 Mise à l'index de l'*Esprit des lois*.	**1751** L'*Encyclopédie*, tomes I et II. Voltaire, *Le Siècle de Louis XIV*.
	1752 Voltaire, *Micromégas*.
1753 Article « Goût » de l'*Encyclopédie*.	**1753** Diderot, *Pensées sur l'interprétation de la nature*.
1754 Réédition des *Lettres persanes* précédée de *Quelques réflexions sur les* Lettres persanes.	**1754** Rousseau, *Discours sur l'origine de l'inégalité....*
1755 Mort à Paris.	

Synthèse générale

UN SPECTATEUR CRITIQUE DE SON SIÈCLE

Le héros des *Lettres persanes*, Usbek, dès son arrivée à Paris, passe sa vie à examiner : « Tout m'intéresse, tout m'étonne » (lettre XLVIII), et comme Montesquieu dans son *Spicilège* ou ses *Pensées*, relevées à partir de 1720, note quotidiennement ses observations : « J'écris le soir ce que j'ai remarqué, ce que j'ai vu, ce que j'ai entendu dans la journée » (*ibid.*). Si on lit de près les journaux de voyage de l'écrivain, on est frappé par sa curiosité universelle : observateur de la société et de la politique, amateur d'art et d'antiquités, historien et naturaliste, il note tout et juge tout d'un mot court et piquant. Il n'est donc pas surprenant de trouver dans les *Lettres persanes* une analyse précise et ironique des mœurs françaises, favorisée par le dépaysement oriental et le souci des deux Persans de mener une véritable enquête en Occident. L'impertinence libératrice de Rica s'intéresse à toutes les couches de la société et en brosse un portrait pris sur le vif, plaisant et mordant, pendant qu'Usbek, philosophe de bon sens, fréquente les gens sérieux et cisèle une analyse extrêmement lucide des us et coutumes français.

Mais à mesure que l'esprit d'Usbek s'enrichit par la compréhension des modes, des mœurs et des lois européennes, son cœur se concentre dans une sorte de désespoir qui va croissant. L'Orient procure le drame, l'Occident propose la comédie mondaine. « Au chœur des recluses, observe Jacques Vier, répond le concert des coquettes. » Montesquieu, qui croit à l'absolu de l'amour, a connu personnellement les voix de femmes abandonnées, même s'il fait sa part à la désinvolture libertine dans les *Lettres persanes* ou *Le Temple de Cnide*. Indépendamment de cette expérience personnelle, il observe les femmes en moraliste, en politique et en sociologue. Le marivaudage amoureux dans *Arsace et Isménie*, la caricature de la parisienne, de ses caprices, de sa coquetterie et de ses infidélités dans les *Lettres persanes*, ne doivent pas masquer les réflexions de Montesquieu prévoyant, en historien et en législateur, l'ascension sociale et politique des femmes : le matriarcat apparaît comme une des hantises de l'*Esprit des lois*.

Dominés par leurs maîtresses, les souverains de l'Occident, et tout spécialement le roi de France, vivent entourés par toutes sortes de marionnettes dont les fils sont rassemblés dans leurs mains : « L'âme du souverain est un moule qui donne la forme à toutes les autres » (*Lettres persanes*, XCIX). Rien d'étonnant à ce que le roi soit qualifié de magicien : vain, bizarre et tyrannique, ridicule quand il se mêle des querelles ecclésiastiques, malhonnête quand il vit d'expédients financiers, faisant la guerre pour des motifs futiles, le roi suscite la verve d'Usbek, sociologue, moraliste et politique à la fois. La satire annonce l'aversion de l'*Esprit des lois* pour le despotisme. Sans doute Montesquieu invente, dans l'*Histoire véritable*, avant Voltaire, un Zadig incontournable qui sait éviter tous les excès auxquels peut mener la condition royale, mais on sent qu'il n'aime pas plus les ministres, trop affairés, et surtout ennemis de la liberté, que les eunuques offrant à Ispahan un emblème détestable des anti-Lumières.

Si l'Islam perd son prestige tout au long des *Lettres persanes*, on ne saurait dire que la raillerie sceptique de Montesquieu épargne l'Église catholique et ses dogmes. « C'est se moquer de vouloir adoucir un mal par la considération que l'on est né misérable », écrit Usbek à Rhédi, associant dans sa dérision du péché originel la sagesse persane, la morale humaine, une philosophie libertine et une pointe contre Pascal. Les premières lettres persanes parisiennes reprochent à Louis XIV sa soumission au pape, préjudiciable aux intérêts de la monarchie et de la France, traitent le chef des chrétiens de « vieille idole qu'on encense par habitude » et présentent les mystères comme des tours de passe-passe exécutés par un magicien. Si l'*Esprit des lois* brocarde moins la religion que les deux voyageurs persans, la critique s'approfondit et mêle dans une commune réprobation le mysticisme, le prosélytisme* et le fanatisme.

Montesquieu demande en 1754 dans ses *Quelques réflexions sur les* Lettres persanes que l'on ne lui attribue pas les propos que la fiction romanesque lui fait tenir à ses personnages. Dès 1750 il rejette dans sa *Défense de l'*Esprit des lois le grief d'être un « sectateur de la religion naturelle ». Son observation critique n'en constitue pas moins une mise en question redoutable des fondements de la société occidentale.

LA PERSPICACITÉ DE L'HISTORIEN

Fasciné par l'histoire de Rome au point d'écrire au collège de Juilly à quinze ans une *Historia romana* et d'offrir aux académiciens de Bordeaux pour les remercier de son élection une *Dissertation sur la politique des Romains dans la religion* (1716), Montesquieu présente dans les *Considérations sur les causes de la grandeur des Romains et de leur décadence* (1734) la synthèse de ses recherches, de ses lectures et de ses analyses. Mais son optique n'a rien de commun avec celles de ses prédécesseurs : il n'offre ni une histoire anecdotique, ni une galerie de portraits et rejette les morceaux d'apparat – alors que ses fragments d'une *Histoire de France* conservés dans ses *Pensées* prouvent son aptitude à brosser des portraits dignes d'une anthologie, qu'il dépeigne Charles VII, Louis XI, Richelieu, Louis XIV, le Régent ou le cardinal Dubois. À cette histoire brillante et littéraire, Montesquieu préfère un genre différent. Sa narration se transforme en réflexion et, au lieu de reconstituer l'histoire de Rome, il cherche en elle des signes dont il s'efforce de découvrir le sens.

Montesquieu à déjà recouru à cette démarche analytique dans ses *Considérations sur les richesses de l'Espagne* et ses *Réflexions sur la monarchie universelle en Europe* : il décèle notamment dans la course à la grandeur une démarche contre nature qui conduit les empires à la ruine et à la mort. Il est déjà convaincu que les historiens ont tort de dire « les faits sans entrer dans les causes » (*Pensées*, 961). Cette recherche causale rationalise le cours des événements et dégage des lois psychologiques : « Comme les hommes ont eu de tous les temps les mêmes passions, les occasions qui produisent les grands changements sont différentes, mais les causes sont toujours les mêmes » (*Considérations*, I). Aucun événement n'est singulier pour Montesquieu : son explication dépend des règles universelles. Ce schéma causaliste, inspiré du rationalisme* expérimental de Newton, exclut toute métaphysique* religieuse et gomme pratiquement le christianisme dans les *Considérations*. En réfléchissant sur les causes de la grandeur et de la décadence de l'Empire romain, Montesquieu découvre que la nécessité dirige le hasard. La fidélité à ce constat vaudra à l'*Esprit des lois* les accusations de déisme*, d'athéisme* et de spinozisme (c'est-à-dire de matérialisme).

Le titre même de *Considérations sur les causes de...* montre bien que l'histoire est réduite à une trame sur laquelle l'homme de science et le philosophe rationaliste* tissent la recherche causale. L'analyse se place sur deux plans successifs : Montesquieu expose les causes immédiates qui expliquent les événements, puis il cherche des causes plus profondes qui, liées à l'« esprit général » des Romains, peuvent aboutir à une intelligence plus fine des faits. Observateur attentif, il découvre le déterminisme* inscrit sous forme d'une inéluctable nécessité dans la nature profonde de Rome. Poussant à l'extrême la volonté de comprendre l'histoire, Montesquieu constate l'unité dans la diversité des choses et l'existence d'une raison dans leur nature.

LE COMBAT POUR LA LIBERTÉ

Dès 1721 et sous le couvert de l'entrelacement labyrinthique de correspondances étrangères entre Paris et Ispahan, les *Lettres persanes* mettent en cause le despotisme. Démonté et dénoncé dès la lettre XIX comme un régime qui pétrifie la Turquie, le despotisme sourd de façon obsédante à travers tout le roman et traduit l'aversion de Montesquieu pour ce régime dont la lettre CIV conteste la légitimité, posant en principe le droit de se révolter contre un prince qui « bien loin de faire vivre ses sujets heureux, veut les accabler et les détruire ». Les *Réflexions sur la monarchie universelle en Europe* et les *Considérations* entrevoient deux types de gouvernement : ceux qui reposent sur des lois et ceux qui refusent toute loi. Tel est le despotisme fondé sur l'arbitraire et condamné au nom de la nature et de la raison : dans ce régime monstrueux le tyran, au lieu de gouverner, impose sa violence et se satisfait du « pouvoir de faire des crimes » (*Considérations*, XVI).

Étudiée dans ses aspects psychologiques, la volonté de puissance, chez le despote, apparaît comme pathologique : paresseux, ignorant et incapable, le tyran s'appuie sur une terreur qui déshumanise ses sujets. Que ce despotisme identifié à l'Orient relève d'un mythe où se retrouvent à la fois le tyran antique, le despote oriental et Louis XIV à la fin de son règne importe peu : cette mythologie a pour but de révéler l'exigence de liberté liée à la nature humaine. L'originalité de la critique constructive du despotisme réside dans la traduction en termes juridiques d'un impératif humaniste et politique : « Il faut que par la disposition des choses le pouvoir arrête le pouvoir » (*Esprits des lois*, XI, 6).

Ainsi la critique du despotisme apparaît positive : la destination de l'homme à la liberté se réalisera si les structures légales de la société politique retrouvent le déterminisme naturel que refuse le délire du despote. Montesquieu donne à sa pensée une cohérence complète, comme l'observe Simone Goyard-Fabre : « Le caractère contre nature du despotisme étant le révélateur de l'ontologie naturaliste en quoi réside le principe* de la rectitude politique et juridique, son programme politique est construit comme l'image inversée de l'absolutisme despotique. » À l'arbitraire despotique il oppose une philosophie de la loi, à l'anarchie despotique il oppose une philosophie de l'ordre et l'équilibre des pouvoirs, à la servitude suscitée par le despotisme il oppose une philosophie de la liberté fondée sur la désignation de représentants par les citoyens actifs. Convaincu que la liberté offre le seul critère permettant d'apprécier la valeur d'un régime politique, Montesquieu se propose de découvrir dans l'*Esprit des lois* comment la promouvoir et la sauvegarder.

Le souci de garantir la liberté du citoyen, présentée comme « la tranquillité d'esprit qui provient de l'opinion que l'on a de sa sûreté », conduit Montesquieu, dans le livre XI de l'*Esprit des lois*, à présenter comme impérative la non-confusion des trois pouvoirs exécutif, législatif et judiciaire dont la tripartition exige une collaboration étroite. Un tel équilibre – qui reflète l'aversion de Montesquieu pour toute forme de despotisme – ne peut se trouver que si la représentation nationale fonde la souveraineté de l'État. Et cette représentation doit être pluraliste – elle implique donc l'existence de partis politiques – pour garantir la liberté. On voit que pour Montesquieu la liberté découle d'un effort permanent pour retrouver et conserver, en bannissant toutes les tentations monocratiques, une organisation proche de l'ordre naturel dégradé à travers les âges.

MORALE ET POLITIQUE

Après avoir présenté une typologie ternaire des régimes politiques – le républicain, le monarchique et le despotique –, Montesquieu abandonne la sociologie* positive pour s'élever à la notion de valeur : il adopte une conception binaire qui sépare les gouvernements modérés des gouvernements non modérés. Même s'il étudie longuement la législation adaptée à chacun des trois types de régions politiques, il laisse deviner son propos réformateur quand il offre dans le livre XI de l'*Esprit des lois* « un programme constitutionnel de liberté qui, faisant antithèse avec la tératologie despotique, est le modèle de la modération* politique dont l'esprit doit toujours guider le législateur » (Simone Goyard-Fabre).

D'entrée Montesquieu écarte une illusion : « La liberté politique ne se trouve que dans les gouvernements modérés. Mais elle n'est pas toujours dans les États modérés » (XI, 4). C'est ainsi qu'une démocratie n'est point un État libre par sa nature : elle ne le devient que « lorsqu'on n'abuse pas du pouvoir » (*ibid.*). Car « la liberté ne consiste point à faire ce que l'on veut » (*ibid.*) au risque de désordres susceptibles de détruire l'État. Dans un gouvernement modéré, aucun gouvernant, aucun gouverné ne doit abuser du pouvoir. Il s'ensuit pour Montesquieu que le rôle des lois consiste à empêcher d'une part un prince ou un sujet d'être « contraint de faire ce que l'on ne doit pas vouloir » et à permettre d'autre part à chacun de « pouvoir faire ce que l'on doit vouloir » (XI, 3). Ces lois sont tributaires d'une constitution « modérée » permettant le partage des compétences par un équilibre défini non comme obéissant à une résultante de forces mécaniques, mais comme une coopération organique relevant du qualitatif.

Bref la modération ne se définit pas par une technique juridique, mais par un état d'esprit général impliquant le refus de tout autoritarisme. C'est pourquoi Montesquieu place l'éducation au premier rang des services publics, car elle enseigne le civisme et la moralité. La même raison le conduit à développer les causes topographiques, démographiques et climatiques de la modération. Rome a péri d'avoir trop grandi : seuls les États de dimension moyenne (et par suite plus faciles à administrer), comportant une population homogène et jouissant d'un climat tempéré, peuvent espérer s'installer dans la durée.

Étudiant ce qu'est la liberté des citoyens sous un gouvernement modéré, Montesquieu rapproche une fois de plus la politique et la morale, soulignant le caractère sacré et inviolable de la personne humaine. Sa condamnation du machiavélisme* tient à ce qu'il réprouve toute politique non fondée sur une éthique. Et la modération représente pour lui l'expression d'un humanisme défendant la dignité de l'homme. Les *Lettres persanes* définissent le statut exemplaire et éternel de la justice considérée comme un « rapport de convenance » que Dieu a instauré pour toujours entre les choses. La modération d'un régime politique, garantie de la liberté et de la dignité humaine, offre un reflet fidèle de cette justice qui dépend de l'ordre général du monde et de la nature des choses.

La politique de liberté dont Montesquieu voudrait faire bénéficier une France guettée par l'absolutisme apparaît comme étroitement liée à une conception de la liberté où les lois civiles s'inscrivent dans une perspective éthique et humaniste : pour affirmer sa liberté l'homme, être social destiné à vivre en communauté, ne saurait s'opposer à la Nature qui détermine sa condition et régit sa valeur.

L'INVENTION DE FORMES LITTÉRAIRES NOUVELLES

Polygraphe qui adresse au Régent un *Mémoire sur les dettes de l'État* (1715), se risque l'année suivante à une audacieuse *Dissertation sur la Politique des Romains dans la religion*, entreprend une histoire physique de la terre ancienne et moderne, rédige un *Essai d'observations sur l'histoire naturelle* (1719), accumule des mémoires sur la physiologie humaine, la biologie végétale ou l'optique, Montesquieu paraît d'emblée un écrivain aussi doué pour jouer un rôle dans les affaires de son pays que pour contribuer à l'essor des sciences. Mais son avenir est ailleurs : en 1721 il éblouit le monde des lettres par une œuvre où l'impertinence subversive, l'ironie endiablée, l'exotisme sensuel et la peinture paroxystique de la passion se moulent dans le charme d'une correspondance authentique.

Que Montesquieu n'ait inventé ni la lettre à finalité satirique, ni le récit de voyage, ni l'observation orientale d'une société européenne ne retire rien à l'originalité profonde des *Lettres persanes*. Ce qu'il invente, c'est de lier toutes les observations de ses voyageurs par une « chaîne secrète et, en quelque façon inconnue », comme il le dira lui-même en analysant son œuvre, au sein d'une forme nouvelle, **le roman épistolaire polyphonique**, capable de « joindre de la philosophie, de la politique et de la morale à un roman ». Ce moyen de fiction offre toutes les possibilités littéraires. L'écrivain recourt d'abord aux énoncés satiriques, mis en forme sous la loupe grossissante du regard persan, aptes à toutes les surprises, à toutes les comparaisons et à toutes les joutes caustiques. Ensuite les lettres sentimentales et passionnelles rappellent que Montesquieu avait écrit une tragédie, *Bristomare* (dont ne subsistent que de rares fragments) : la plainte, la menace, l'ordre, la violence traduisent les étranges liaisons entre Usbek et ses femmes. Toujours décalées dans le temps par l'écart entre l'envoi et la réception des lettres, celles-ci débouchent sur le drame avec la trahison et le suicide de Roxane. Enfin l'énergie, la haine, la passion et la tragédie n'empêchent nullement Usbek de sacrifier à la lettre réflexive dont l'importance « philosophique » n'a pas toujours été immédiatement perçue. Il faudra attendre trente ans pour que le parti dévot charge l'abbé Gauttier d'écrire contre Montesquieu un pamphlet, *Les* Lettres persanes *convaincues d'impiété* (1751). Pourtant l'originalité des *Lettres persanes* n'est pas moins profonde dans le jeu des échos, des correspondances, des énoncés masqués et dans le retour constant de thèmes (bonheur, liberté, vertu*) qui donnent au roman toute sa signification idéologique.

Il restait à découvrir si l'histoire peut réaliser ce que les *Lettres persanes* appellent la justice, c'est-à-dire les normes antérieures et supérieures à toute loi positive. C'est la tâche que s'assignent les *Considérations sur les causes de la grandeur des Romains et de leur décadence*. À lire dans le détail cette dissertation dont on discerne clairement le dessein général – une organisation suivie d'une rupture dont Montesquieu se délecte à rechercher les causes –, on constate que l'écrivain s'attache aux faits saillants ou typiques et les met en valeur. On est séduit, chapitre après chapitre, par sa tentative enthousiaste et passionnée, alerte et vivante, hardie et neuve, d'explication de l'histoire. En un siècle de culture latine où Cicéron et Tite-Live offrent des références familières à tout lecteur français, Montesquieu refuse l'éloquence traditionnelle – il n'écrit pas un discours – mais lui préfère la concision pour faire ressortir les structures de l'histoire. Convaincu, comme il le dit lui-même dans ses *Pensées*, que « pour bien écrire il faut sauter les idées intermédiaires », usant de l'asyndète, des paradoxes, des antithèses et des ruptures d'équilibre, Montesquieu cisèle des formules ramassées et frappantes qui confèrent aux

Considérations une grande densité. Corrado Rosso y décèle l'indice d'un talent porté à l'analyse et d'un scepticisme analogue à celui qui inspire à la tradition classique des moralistes français le goût de la maxime.

Le style de Montesquieu dans l'*Esprit des lois* relève de la même apparente discontinuité : lapidaire, parfois énigmatique, multipliant les comparaisons scintillantes, les effets d'opposition, les sentences brillantes, il rivalise avec la sobriété impassible de Suétone ou la science du raccourci incisif de Tacite et de Sénèque. L'abondance des traits et des maximes coule de source. Leur beauté provient surtout de leur puissance de découverte instantanée, qui, loin de diluer la force démonstrative, leur permet d'atteindre l'intemporel : « La politique est une lime sourde, qui use et qui parvient lentement à sa fin » (XIV, 13). Imagé ou sobre, majestueux ou familier, intellectuel ou affectif, le style de Montesquieu atteint la profondeur dans la clarté et ajoute encore à la fascination d'un ouvrage étonnamment moderne.

Si dès la publication de l'*Esprit des lois* on a cru pouvoir regretter un désordre dans la cohésion générale de l'ouvrage, ou dans ses trente et un livres – critique dont d'Alembert sera le premier à faire justice –, c'est par inattention à la rigoureuse armature dans laquelle Montesquieu enserre son œuvre : « À travers la juxtaposition des paragraphes, on perçoit une puissante gradation interne, observe Jacques Vier, qui va son chemin jusqu'au développement d'un gigantesque polypier. » Que la route soit émaillée pour le lecteur de surprises et de fantaisies n'empêche nullement de découvrir le cheminement dialectique d'un ouvrage qui part de l'invisible pour faire découvrir le visible. Montesquieu crée une forme littéraire qui lui permet de dresser un inventaire complet des phénomènes et de saisir l'unité du tout. En cela encore Montesquieu est un précurseur dans la littérature, car il ouvre la voie à ces sommes et à ces vastes synthèses qui surgissent au zénith des Lumières.

Les grandes œuvres

LE ROMANCIER

Lettres persanes (1721)

DESCRIPTIF

Deux grands seigneurs persans non-conformistes ont quitté Ispahan, leur ville natale, pour entreprendre un voyage d'étude en France. Usbek, qui fuit une cour corrompue où sa franchise a mis sa vie en danger, laisse à regret derrière lui un sérail de cinq épouses éplorées que gardent despotiquement de nombreux eunuques. Rica se veut libre de toute attache. En traversant la Perse, la Turquie et l'Italie, ils engagent une correspondance variée avec leurs compatriotes demeurées à Ispahan. Dès leur arrivée à Paris en mai 1712, les deux Persans, forts de leur esprit ingénu et dépourvu de préjugés, s'émerveillent de l'étrangeté des mœurs et en démontent tous les ridicules. Leur hardiesse irrespectueuse met en cause les fondements de la société : elle les conduit à critiquer la pratique du pouvoir politique et à mettre en cause les traditions religieuses.

Pendant les huit années de leur séjour, leurs échanges épistolaires s'élargissent à de nombreux destinataires, et ils reçoivent des nouvelles de leur pays : l'Orient et l'Occident se comparent. Leurs trajectoires parisiennes divergeant, ils sont amenés à correspondre entre eux. La différence est sensible entre l'ironie crépitante du jeune Rica et la philosophie lucide d'Usbek, désireux d'acquérir la sagesse là où elle se trouve, mais non exempt de contradictions. Leur chronique française fait écho aux dernières années du règne de Louis XIV, puis à la Régence et se clôt en novembre 1720, avec la condamnation de l'« affreux néant » où Law a conduit la société française.

Les quinze dernières lettres, rompant avec la chronologie, servent à relater la tragédie du sérail de 1717 à 1720. Pour tout incident au harem d'Usbek, plusieurs versions sont présentées, celle des femmes, celle du chef des eunuques ou celle de quelque serviteur. À distance, Usbek essaie de trancher les conflits, puis il se décide à regagner Ispahan. Mais avec la prolongation de son absence, la situation s'est dégradée et la dernière lettre de Roxane assène à Usbek le coup de grâce : sa favorite le défie en avouant son adultère et prévient toute sanction en s'empoisonnant.

COMMENTAIRE

Un roman « en lettres »

« Mes *Lettres persanes* apprirent à faire des romans en lettres », souligne avec fierté Montesquieu dans ses *Pensées*. Il constatera en 1754 dans ses *Quelques réflexions sur les* Lettres persanes que le succès de son œuvre repose sur les ressources romanesques offertes par cette forme littéraire : « Rien n'a plu davantage dans les *Lettres persanes* que d'y trouver, sans y penser, une espèce de roman. » Si le roman épistolaire date de 1669 – les *Lettres portugaises* de Guilleragues en constituent le premier chef d'œuvre – Montesquieu n'obéit pas à une mode. C'est lui au contraire qui suscite l'intérêt, au siècle des Lumières, pour cette forme majeure de roman qu'illustreront en Angleterre *Pamela* (1741) et *Clarisse Harlowe* (1748) de Richardson, en France *La Nou-*

velle Héloïse (1761) de Rousseau et *Les liaisons dange-reuses* (1782) de Laclos, en Allemagne *Les Souffrances du jeune Werther* (1774) de Gœthe.

En fait le choix de **la forme épistolaire**, où il fait preuve d'une maîtrise longtemps inégalée, naît chez Montesquieu d'une nécessité inhérente à son audace de pensée : membre du Parlement et de l'Académie des Sciences de Bordeaux, il ne peut aborder des sujets philosophiques sérieux dans un roman traditionnel. La forme épistolaire lui apparaît donc comme un moyen d'éviter la lourdeur d'un traité et de s'abandonner au plaisir d'une intrigue romanesque, ce dont Voltaire se souviendra dans les *Lettres d'Amabed* sinon, par mépris du genre romanesque, dans les *Lettres philoso-phiques*. Avant Montesquieu, Pascal dans les *Provinciales*, ou Marana dans l'*Espion du Grand Seigneur dans les cours de princes chrétiens* (1684), avaient inventé la lettre satirique ou l'observation extérieure monodique (à une voix), mais sans se donner « l'avantage de pouvoir joindre de la philosophie, de la politique et de la morale à un roman » (*Quelques réflexions...*), ni les structures de cet entrelace-ment labyrinthique des correspondances entre deux capi-tales, et cette « chaîne secrète et en quelque façon incon-nue » (*Quelques réflexions...*) que Roger Laufer trouve caractéristique du style rococo.

La polyphonie*

À la différence de tous ses prédécesseurs, Montesquieu ins-taure une pluralité des voix qui permet tout naturellement **la diversité des points de vue** sur les sujets les plus variés. Le nombre élevé des destinataires* (vingt-cinq) offre à Usbek une ouverture sur toutes sortes de problèmes politiques, moraux, religieux, économiques ou sociologiques, car il pos-sède pour chacun d'eux un lecteur compétent. Il discute donc du pur et de l'impur avec le mollak Méhémet Ali, cherche la source du bonheur auprès de Mirza, compare pour Roxane les mœurs des femmes en Orient et en Occident, dialogue avec Rhédi sur les inconvénients et les avantages des sciences et des arts, réfléchit pour Ibben sur le sentiment de l'honneur, avoue sa nostalgie ou son désespoir à Nessir.

Faute de pouvoir étendre davantage la polyphonie sans risquer de désorienter le lecteur, Montesquieu introduit de nombreuses variantes dans la distribution des messages qui convergent vers un personnage central. Certains destinataires posent à Usbek une question : Mirza l'interroge sur les relations entre la morale et le bonheur (lettre X), Zélis l'invite à parler des preuves de la virginité (lettre LXX), Rhédi, le plus philosophe de ses correspondants, lui demande son avis sur la culture des arts et des sciences (lettres CV) ou sur la démographie mondiale (lettre CXII). La longueur de certaines réponses d'Usbek (quatre lettres répondent à Mirza et dix à Rhédi), fait de lui le protagoniste, lui offrant le rôle primordial dont il aurait pu être privé – pour des raisons de vraisemblance romanesque – à cause de son installation durable à Paris.

Cosmopolite sans avoir besoin de courir le monde, Usbek découvre et fait découvrir le monde grâce à la présence de **destinataires falsifiés** qui relaient les destinataires interrogateurs : la missive interrogatrice manque dans le roman et cette absence permet d'accélérer le rythme du récit. Ainsi une courte formule au fondement non vérifiable par le lecteur débute la lettre LX : « Tu me demandes s'il y a des Juifs en France. » Parfois le maquillage du destinataire va plus loin. Le destinateur* (celui qui écrit) impose au destinataire en guise d'exorde son point de vue sur un problème : « Tu sais, Mirza, que quelques ministres de Chah Soliman avaient formé le dessein d'obliger tous les Arméniens... », ce qui lui offre l'occasion de faire ressortir les avantages liés à la coexistence de plusieurs religions dans un État (lettre LXXXV).

La démultiplication des destinataires est enfin favorisée par **la mise en abîme de contes ou de lettres**. Tantôt l'apparition d'un nouveau destinateur dans une lettre citée à l'intérieur d'une autre lettre accentue la distance entre le Persan et son destinataire : ainsi en est-il dans la lettre XXVIII où Rica cite la lettre qu'il vient de recevoir d'une actrice demandant sa protection, ou bien dans la lettre XLVIII quand Usbek reproduit le long dialogue qu'il a mené avec un homme du monde. Tantôt le jeu d'emboîtement permet d'offrir une réponse venue d'ailleurs au destinataire qui a posé une question : à l'interrogation de son ami Mirza (les hommes sont-ils heureux « par les plaisirs et les satisfactions des sens ou par la pratique de la vertu » ?), Usbek répond longuement (lettres

24

XI à XIV) par l'« Histoire des Troglodytes ». Ce conte oriental, comme l'« Histoire d'Aphéridon et d'Astarté » (lettre LXVII) et l'« Histoire d'Ibrahim et d'Anaïs » (lettre CXLI), ne constitue pas une digression détachable de son contexte, mais offre une narration qui complète ou illustre le sens du roman et instruit de façon divertissante le lecteur selon le principe avancé par Usbek : un « morceau d'histoire [...] touchera plus qu'une philosophie subtile » (lettre XI).

Toutes les variantes offertes par la pluralité des voix offrent à Montesquieu autant de moyens pour affaiblir le point de vue du destinataire et renforcer celui de Rica et d'Usbek : « Du point de vue de la connaissance, constatent Réal Ouellet et Hélène Vachon, dans leur étude sur les *Lettres persanes*, l'existence d'un destinataire unique aurait impliqué un équilibre de forces se traduisant dans la fiction par le dialogue et dans la structure romanesque par un nombre relativement égal des lettres du destinateur et du destinataire [...] Usbek peut écrire impunément sans crainte de réponses éclairantes jusqu'à la révélation de Roxane. » L'exclusivité du savoir donne droit de parole et si Usbek apparaît comme le personnage principal du roman, ce n'est pas parce qu'il est l'initiateur du voyage, mais parce que son statut de voyageur fait de lui le distributeur du savoir en Orient.

L'emploi de la première personne

Le choix du roman épistolaire rend compatible la polyphonie et l'usage du style direct à la première personne. **Chaque lettre nous informe sur la vision fragmentaire et subjective portée sur les événements par son auteur**. Dans une longue missive passionnée et romanesque à sa favorite Roxane (lettre XXVI), Usbek, opposant la réserve des femmes orientales à la coquetterie impudente des Françaises, évoque les « chastes scrupules » de sa jeune épouse et son bonheur. Il faudra attendre les trois dernières lettres du roman pour découvrir son erreur – et par suite celle du lecteur : les réticences de Roxane masquaient la violence de sa haine contre son tyran. Et pourtant une lecture rétrospective de la lettre XXVI montre que le poignard brandi par Roxane y préfigurait la mort. Éliminant le narrateur omniscient, la lettre enferme le lecteur dans les ignorances de son scripteur (c'est-à-dire son auteur).

L'emploi de la première personne contribue aussi à l'intensité de l'expression. « L'on rend compte soi-même de sa situation actuelle ; ce qui fait plus sentir les passions que tous les récits que l'on pourrait en faire », observe à ce propos Montesquieu lui-même dans ses *Quelques réflexions sur les* Lettres persanes. Éliminant tout intermédiaire entre les événements vécus et leur récit, la première personne permet au lecteur de recevoir directement les impressions du cœur ou les réactions de l'esprit. Selon les cas elle se met au service du lyrisme, de l'analyse psychologique, de l'enquête philosophique ou de la notation pittoresque. Quand Nargum raconte à Usbek (lettre LI) « combien les femmes moscovites aiment à être battues », il insère dans ses lettres la missive d'une moscovite qui n'apporte aucun élément nouveau sur ce trait des mœurs russes, mais où l'emploi de la première personne (« J'ai résolu de me faire aimer de mon mari, à quelque prix que ce soit ; je le ferai si bien enrager, qu'il faudra bien qu'il me donne des marques d'amitié. Il ne sera pas dit que je ne serai pas battue, et que je vivrai dans la maison sans que l'on pense à moi ») crée entre le lecteur et la femme moscovite une relation directe, analogue à celle qui peut se créer au théâtre entre l'acteur et le spectateur.

La dernière lettre de Roxane (lettre CLXI) installe enfin la première personne du singulier dans le pathétique. Le « je » le fait surgir dans le rappel de tout un passé d'aversion contre son seigneur et maître, intercalé entre le futur immédiat (« Je vais mourir ») qui correspond au défi et à la mort de l'héroïne, alors que le passé composé (« J'ai pu vivre dans la servitude, mais j'ai toujours été libre ») recouvre le récit du passé vu par Roxane. La révélation progressive de la vérité se fait sous la forme d'un dialogue tragique presque racinien, scandé par l'alternance haletante des pronoms personnels de la première et de la deuxième personne, et qui culmine avec le retournement décisif et victorieux marqué par le passage du passif à l'actif (« Nous étions tous deux heureux : tu me croyais trompée et je te trompais »). La mise en scène du suicide de Roxane, qui s'achève sur un véritable cri de tragédie, suscite une émotion plus intense que ne le ferait un récit de la mort de l'héroïne. On découvre là une des grandes richesses de la forme épistolaire quand elle emprunte au théâtre l'authenticité du « je ».

26

La dynamisation par la chronologie

L'originalité de Montesquieu se découvre pleinement dans l'invention d'une forme inédite, **le roman épistolaire polyphonique daté**. Non seulement l'écrivain crée la polyphonie, c'est-à-dire la présence de nombreux correspondants, en conservant à chacune de leur voix un caractère actuel par l'usage de la première personne, mais il dynamise par **la chronologie** la structure complexe de cette polyphonie polymorphe.

Les *Lettres persanes* sont datées. Cette nouveauté apparemment simple est riche d'effets décisifs : **elle crée une dramaturgie de la distance, du décalage et de l'absence**. D'abord elle suscite un roman dans le roman. Le voyage d'Isphahan à Paris (lettres I à XXIII) dure du 19 mars 1711 au 4 mai 1712. La narration du séjour à Paris (lettres XXIV à CXLVI) se prolonge de 1712 à 1720, s'étalant sur les dernières années du règne de Louix XIV (soixante-neuf lettres jusqu'au 1er septembre 1715), puis sous la Régence (cinquante-quatre lettres jusqu'au 11 novembre 1720). Mais la lettre CXLVII, datée du 1er septembre 1717, aurait dû se placer chronologiquement entre les lettres CIV et CV. Quant aux ultimes paroles de Roxane (lettre CLXI) écrites le 8 mai 1720, elles ne peuvent parvenir à Usbek que six mois plus tard, compte tenu du délai normal d'acheminement du courrier entre Ispahan et Paris.

On voit que les quinze dernières lettres, décrochées de la chronologie et centrées sur le sérail, prennent une double fonction : elles encadrent le roman en relançant l'intrigue orientale, dont le fil se distend au milieu de réflexions sur la politique et la religion ou de la peinture ironique de la société française, même si Usbek reçoit de ses femmes et de ses eunuques, tout au long du roman, des avertissements qui devraient précipiter le retour à Ispahan de ce mari tyranique et jaloux. L'isolement du drame au sérail permet à Usbek de continuer à raisonner en philosophe jusqu'à la lettre CXLVI. La fracture avec la chronologie ainsi que la simultanéité entre cette lettre CLXVI et l'arrivée de la dernière lettre du roman, où l'épouse préférée révèle sa haine à son tyran, permettent de rapprocher le désastre de Law et le désastre d'Usbek. Le roman s'achève ainsi sur une concordance entre la dernière lettre du cycle occidental et la dernière lettre du cycle oriental annonçant toutes deux un échec catastrophique.

Les ultimes lettres offrent enfin **un épilogue**. La fin tragique de l'intrigue se prolonge sur trois ans, mais est fortement concentrée par la vitesse de la lecture qui « nie le délai des échanges épistolaires (un an entre l'envoi et la réponse) et transforme en crise accélérée le lent scénario de la chute du sérail » (Jean Goldzink). En brisant la chronologie, Montesquieu équilibre la minceur dont est affligée l'intrigue orientale entre les lettres XXIV et CXLVI (treize missives seulement). La réactivation du harem, qui permet le coup de théâtre final – le suicide de Roxane –, clôt le roman, mais aussi le laisse en suspens : le lecteur ne sait pas de qui Usbek tire vengeance, ni même s'il exécute ou non sa résolution de regagner la Perse – annoncée dans la lettre CLV –, résolution qui équivaut à un suicide puisque ses ennemis politiques sont aux aguets à Ispahan. Ainsi le mode épistolaire structure à travers l'espace et le temps l'ironie que la tragédie classique faisait naître sous la contrainte de la règle des trois unités.

L'ALIBI PERSAN

L'atmosphère orientale

La confrontation de deux mondes, romancée entre la découverte de l'Occident et la permanence de l'Orient, domine les *Lettres persanes*. Le choix de deux personnages persans rend hommage à Tavernier (*Six voyages de M.J.B. Tavernier en Turquie, en Perse et aux Indes*, 1677-1679), à Chardin (*Voyage en Perse*, 1686) ou à Tournefort (*Relation d'un voyage... contenant l'histoire de Constantinople, ... des frontières de la Perse*, 1717), et est habilement justifié par le désir d'effectuer un voyage d'étude en Occident. Puis Usbek, empreint de nostalgie, dévoile la raison véritable de son départ : échapper aux représailles qui le menacent dans une cour corrompue où sa franchise, lui aliénant les ministres sans lui procurer la faveur du Prince, met sa vie en danger (lettre VIII). Cette confidence fait deviner la tyrannie qui règne en Perse et dont la lettre CII décrit les conséquences : « Un Persan qui, par imprudence ou par malheur, s'est attiré la disgrâce du souverain est sûr de mourir : la moindre faute ou le moindre caprice le met dans cette nécessité. »

La description des mœurs persanes est centrée sur le sérail : le harem apparaît dès la seconde lettre, piquant la curiosité du lecteur qui pénètre dans un lieu interdit. Usbek y développe les tourments où le jette une jalousie exacerbée et, sentant que l'éloignement affaiblit son pouvoir, rappelle au premier eunuque noir les vertus cardinales du harem : l'ordre, l'obéissance et le silence. Plus encore que par la peinture des épouses cloîtrées, l'originalité de Montesquieu s'affirme par la description des eunuques, esclaves châtrés qui se contentent d'une demi-vie et exercent une tutelle tyrannique sur des femmes recluses qui exacerbent leurs désirs, qu'ils redoutent, et qu'ils rêvent de punir ou de tuer.

L'atmosphère orientale n'est pas liée seulement au roman de harem : les deux voyageurs offrent successivement à la curiosité du lecteur la capitale de la Perse, Ispahan, puis Com – sanctuaire révéré des musulmans chiites où Usbek se recueille devant le tombeau de Fathmé, la fille de Mousa Kasem, le septième des douze califes considérés par les chiites comme les successeurs légitimes de Mahomet après la mort de son gendre Ali – Tauris et enfin Erzeron (Erivan), Capitale de l'Arménie, pays des « perfides Osmanlins » (les Turcs). Ennemis héréditaires des Persans, les Turcs sont sunnites, c'est-à-dire fidèles à Abou-Bekz, le beau-père de Mahomet et d'Omar. Et le chiite Usbek se sent profane lui-même « dans le pays de ces profanes ».

Le voyage des deux Persans vers l'Occident suit exactement les étapes du deuxième et du sixième des *Voyages* de Tavernier, c'est-à-dire la route normale des caravanes par le Nord. Et il dure vingt-cinq jours d'Ispahan à Tauris, alors que Tavernier compte vingt-quatre journées et Chardin vingt-huit. Cette précision montre ls souci de vraisemblance qui anime Montesquieu. Le même souci de « couleur locale » se retrouve dans la datation des lettres d'après les mois lunaires persans, même si Montesquieu ajoute les années chrétiennes aux mois musulmans afin de ne pas égarer ses lecteurs dans une chronologie peu compréhensible. Quant aux voyageurs, ils sont issus de l'aristocratie persane. Leur nom est emprunté – pour Usbek – à la fois à un personnage des *Mille et Une Nuits* et à un prince usbek (ousbek), parent de Gengis Khàn et fondateur d'une dynastie rivale jusqu'au XVIIIe siècle des souverains perses. Rica, Mirza et Rustan appartiennent à la noblesse éclairée.

En fait, plus que l'orientalisme de la forme – Montesquieu s'essaie parfois à parler en style coranique, mais réserve aux formules fleuries et métaphoriques des Orientaux une valeur d'humour –, l'écrivain a d'abord recherché **la couleur historique** et on doit reconnaître que sa connaissance de la Perse repose sur des bases aussi solides que possible.

La consistance des personnages

La psychologie des Persans de Montesquieu est très nuancée et les étonnements que leur prête l'auteur devant les habitudes européennes apparaissent tout à fait plausibles. Chacun d'eux a son caractère, fondé sur une introspection de Montesquieu qui se forge attentivement l'âme d'un Persan pour observer les gens et analyser les choses de son temps.

Heureux et fier d'être musulman, **Usbek**, dont le patriotisme se confond avec la foi religieuse, ignore le myticisme, mais se passionne pour la métaphysique. Il lui a suffi de quitter le cadre traditionnel de la Perse – dont il conserve une nostalgie profonde, empreinte d'idéalisme et de patriotisme – pour être atteint de doutes religieux : il présente (lettres XVI et XVII) au Mollak (théologien) Méhémet Ali ses inquiétudes et son effort pour les apaiser avec le seul secours de la raison, puis, élargissant le problème, se demande quelle valeur attribuer au témoignage des sens et enfin avoue son scepticisme devant la contradiction entre l'empirisme* et la loi du divin prophète. Raisonneur, il va mener une véritable enquête en Occident, cherchant à découvrir le fonds humain que chrétiens et musulmans ont en commun. Ce philosophe rencontre à Paris un climat favorable au raisonnement et, s'il critique lucidement les mœurs des Français, leur religion et leur gouvernement, il reconnaît que règne en France une humanité inconnue en Perse : partant de l'observation des faits et se fondant sur la raison, il médite sur le problème de la justice et établit une relation entre la douceur ou la gravité des peines et le degré de liberté dont jouit un peuple. Sa haine du despotisme ne l'empêche pas de rester un tyran à Ispahan : sa culture islamique et ses réactions de phallocrate jaloux le rendent féroce dès qu'il s'agit de la liberté de ses femmes ou de son autorité sur son harem. Curieuse inconséquence montrant que le pouvoir des sens domine les esprits les plus éclairés.

En face de ce philosophe libéral dans tous les domaines de la pensée, mais tyrannique dans son harem, **Rica**, son compagnon de voyage, apparaît léger, amusant et malicieux. Sa jeunesse, sa gaieté naturelle et sa vivacité le portent à observer, à vivre et à faire rire. Alternant le badinage, l'humour et le sarcasme, il saisit tous les ridicules de la société française. Fréquentant les salons, les beaux esprits, les jolies femmes – auxquelles il raconte des histoires de harem et des contes grivois persans –, il acquiert progressivement bon nombre de traits européens et reste à Paris quand Usbek croit devoir regagner Ispahan.

Parmi les amis et correspondants familiers d'Usbek se détachent **Ibben**, oncle de Rica, qui réside à Smyrne, d'où il commerce avec l'Occident et s'intéresse passionnément aux mœurs françaises, **Mirza**, jeune noble « éclairé » qui critique les préjugés et cherche à raisonner « comme homme, comme citoyen, comme père de famille », **Nargum**, dont la présence à Moscou étend la géographie épistolaire et offre l'occasion de dresser un tableau sinistre du despotisme dans la Russie tsariste, **Rustan** qui permet de garder le contact avec Ispahan et surtout **Rhédi**, grand seigneur installé à Venise, passionné par les arts et l'histoire, qui pose des questions originales ou paradoxales. Possédant chacun sa personnalité propre, ces personnages, qui élargissent l'horizon spatial des *Lettres persanes*, ont une attitude critique naturelle pour des étrangers que la nouveauté étonne ou scandalise.

Les caractères féminins ne sont pas moins finement nuancés. **Zachi**, **Zélis** et **Fatmé**, dont le comportement illustre trois types féminins différents – la femme enfant, la femme objet et la femme frustrée –, font ressortir que le harem est un lieu d'esclavage. La première épouse d'Usbek, **Roxane**, se recommande tout au long du roman par sa beauté et son attachement à ses devoirs. Mais brutalement sa dernière lettre montre une femme qui revendique hautement le droit à l'amour et à la liberté. Elle souligne ainsi la contradiction entre les réflexions philosophiques d'Usbek, son aspiration au bonheur et à la raison et sa conduite au sein du sérail qui lui fait exercer sur ses femmes, aveuglément et atrocement, un droit de vie et de mort, par l'intermédiaire d'eunuques transformés en objets et en instruments de sa tyrannie. Ainsi s'amorce une lecture du harem

« comme une figure érotisée du despotisme qui prévaut en Orient » (Jean Starobinski) et dont la gangrène menace la monarchie en Occident.

Le regard étranger

Si la forme épistolaire engendre naturellement la fiction du voyage, cette fiction rend plausible l'existence d'une vision persane. Montesquieu le faisait déjà observer dans ses *Quelques réflexions sur les* Lettres persanes : « Tout l'agrément consistait dans le contraste éternel entre les deux choses réelles et la manière dont elles étaient aperçues. » Rien ne peut mieux faire ressortir l'absurdité et le ridicule des institutions ou des usages qu'un regard neuf découvrant ce que l'accoutumance fait trouver naturel aux Français. « Les Persans sont frappés par l'extraordinaire, note Jean Starobinski dans l'« Introduction » de son édition des *Lettres persanes*, ils ignorent les " liaisons " entre les idées, les coutumes, les pratiques ; la notion d'étonnement [...] fait office de filtre : ajoutons qu'elle est un agent séparateur. Ainsi la réduction sociologique, telle que la pratique Montesquieu, n'aboutit pas à une vue globale de la société française et de son fonctionnement, mais à une saisie discontinue et morcelée de tout ce qui s'offre successivement comme étonnant. » En suscitant l'éloignement, le voyage crée la vision et conduit à présenter uniquement ce qui a été trouvé étrange par le spectateur oriental.

La découverte de la réalité découle donc de **la discontinuité et de la distance** du regard porté par Usbek et Rica. Néanmoins les deux héros, scripteurs le premier de soixante-dix-huit lettres, le second de quarante-six, atteignent au savoir, dont l'acquisition constitue la finalité de leur séjour en France, par deux modes de connaissance différents. En plein cœur de Paris et se répandant dans le monde, Rica reçoit des impressions nées d'un contact avec les Français. Cette immédiateté de la connaissance est exclue chez Usbek. Son compatriote s'étonne de le voir quitter Paris pour la campagne durant plusieurs semaines afin de pouvoir y philosopher en toute liberté : « Je crois que tu veux passer ta vie à la campagne. Je ne te perdais au commencement que pour deux ou trois jours, et en voilà quinze que je ne t'ai vu. Il est vrai que tu es dans une maison charmante, que tu y raisonnes tout à ton aise : il n'en faut pas davantage pour te faire oublier tout l'univers. Pour moi, je mène à peu près la même vie que tu m'as vu mener : je me répands dans le monde, et je cherche à le connaître » (lettre LXIII).

Quelle que soit la différence entre leur mode de connaissance, chacun des deux correspondants exprime une subjectivité n'engageant en rien un auteur caché et omniprésent. « C'était un Persan qui parlait » rappellera Montesquieu dans une première rédaction de ses *Quelques réflexions sur les* Lettres persanes. Cette fiction, qui attribue une apparente autonomie à chacun des scripteurs, fournit à l'auteur des masques divers, auxquels la transparence ne retire aucune vertu dès lors qu'il s'agit de mettre en cause la société, la religion, ou le fonctionnement du pouvoir politique.

LA CRITIQUE RELIGIEUSE

Une présentation satirique de l'Église

La démarche des deux Persans – commencer leur voyage par un pélerinage à Com, mais « aller chercher laborieusement la sagesse » (lettre I) en Europe – montre que la « lumière orientale », inséparable de la religion, ne leur suffit plus. Une quarantaine de lettres persanes mettent en jeu les oppositions entre religieux et laïcs, foi et raison, Livre et livres, religion et philosophie, ciel et société, qui constituent le fondement essentiel de la philosophie des Lumières.

La première lettre parisienne (lettre XXIV) reproche à Louis XIV sa soumission au pape et aux dogmes, préjudiciable aux intérêts de la royauté et de la France : elle met en place une hiérarchie dans l'art de la pratique magique, où excelle le roi, mais où il est largement dépassé par le pape, qui a tout pouvoir sur son esprit et apparaît comme un prodigieux marchand d'illusions et d'artifices. Le regard persan permet de gommer le caractère mystique des croyances chrétiennes et de ridiculiser par l'absurde les mystères des dogmes catholiques (Trinité, Eucharistie, Transsubstantiation).

Dans la même lettre Usbek précise ses sarcasmes. Résumé par sa soif de pouvoir et de richesses, le pape y est présenté par une formule toute voltairienne : « Le pape est le chef des chrétiens ; c'est une vieille idole qu'on encense par habitude. »

Des contradictions des évêques rédigeant des « articles de foi » qu'ils dispensent ensuite les fidèles d'observer, Rica passe aux disputes théologiques. Plaisant écho au gallicanisme qui nourrit les protestations contre l'intervention pontificale dans les questions ecclésiastiques en France, étonnant interprète aussi du corps des parlementaires liés au jansénisme, Rica manifeste son dédain devant l'ingérence du Vatican et l'intolérance que traduisent les controverses religieuses. En bon disciple de Mahomet, il ironise à propos du rôle joué par les femmes – être inférieurs à ses yeux – dans les querelles nées de la condamnation des jansénistes par la bulle *Unigenitus*, ce qui n'empêche pas sa sympathie d'aller vers les ennemis insaisissables du roi. Montesquieu méprise les querelles religieuses stériles qui divisent les forces de la nation, contribuent à priver les minorités des libertés les plus élémentaires et peuvent déboucher sur des conséquences tragiques : au sud des Pyrénées elles aboutissent aux crimes de l'Inquisition.

Plus généralement **l'institution religieuse apparaît comme incohérente et opportuniste** : cette religion de convention et de façade, les fidèles s'en accomodent en fonction de leurs intérêts et de leurs inconstances plus qu'ils ne la pratiquent sincèrement. Une telle hypocrisie fondamentale sert d'alibi à tous les abus de pouvoir de l'Église : elle adapte son comportement aux exigences politiques ou économiques, ce qui l'entraîne à cautionner l'esclavage. Pour montrer la force de ces incohérences, le Persan feint d'être tenté par la conduite des chrétiens avant de rendre grâce à la religion qu'il sert : la distance impliquée pour la fiction rend la critique de l'institution religieuse plus facile et plus percutante.

Du relativisme au déisme

Précurseur de la philosophie rationaliste des Lumières, Usbek est à son tour gagné par le relativisme. Il lance un débat sur un sujet qui révoltera Voltaire, l'existence d'un dogme conduisant à la damnation les peuples privés de la Révélation. D'où sa question inquiète au dervis Gemchid (lettre XXXV) : les chrétiens qui « n'ont pas été assez heureux pour trouver des mosquées dans leur pays » seront-ils condamnés à des châtiments éternels ? Le Persan est devenu conscient que les différences entre les religions tiennent à des pratiques superstitieuses sans importance. Son ton très sérieux en apparence permet une inversion de l'optique : la présentation de la religion chrétienne par un musulman contribue à offrir au lecteur français une leçon de scepticisme et de tolérance.

Choqué par les paradoxes et les illogismes de l'Église, le Persan affirme (lettre XLVI) que tout homme de bonne foi est exposé aux persécutions, car il ne peut respecter des rites compliqués et qui s'opposent d'une religion à l'autre. Le doute dû à la relativité entraîne, sinon la négation de la religion, du moins l'indifférence à des religions multiples, mais également dogmatiques. Adoptant un ton qui annonce la « Très humble Remontrance aux Inquisiteurs d'Espagne et du Portugal » (*Esprit des lois*, XXV, 13), Usbek en conclut que la solution doit être recherchée dans une religion « naturelle », fondée sur le refus des rituels et des cérémonies spécifiques, sur une dévotion individuelle envers une divinité commune à tous les hommes, sur un élan de la sensibilité, sur un idéal de tolérance et surtout sur la pratique d'une morale individuelle et sociale. Une très belle « Prière à Dieu » s'achève sur l'énoncé de la conduite à pratiquer pour remercier la divinité : « Je crois que le meilleur moyen pour y parvenir est de vivre en bon citoyen dans la société où vous m'avez fait naître, et en bon père dans la famille que vous m'avez donnée. »

Montesquieu propose donc, comme dans l'« Apologue* des Trolodytes », **une morale laïque** et réduit l'existence de Dieu à une caution. D'où son indignation devant le cynisme des casuistes* (lettre LVII) qui font passer les péchés mortels pour véniels et garantissent l'impunité. Usbek, repensant l'homme dans ce renversement vers l'anthropocentrisme* qui caractérise les Lumières, prend parti pour la liberté humaine dans la lettre LXIX : un Dieu bon ne peut accepter la prédestination, car il n'a pas à restreindre les pouvoirs qu'il confie aux hommes. Il se contente de les juger d'après leur conduite et d'autant mieux que l'intelligence divine et la raison humaine vont dans le même sens (lettre LXXXIII) : la croyance en la justice se substitue à la croyance en Dieu, cette « si belle idée ».

Science, raison et religion

Correspondant déférent et audacieux du derviche Hassein retiré du monde sur la montagne de Jaron pour se consacrer à la méditation religieuse, Usbek lui fait découvrir dans la lettre XCVII l'existence en Occident de philosophes plus proches du savant que du sage, atteignant par **la physique** l'explication de l'Univers. Ces philosophes apparaissent comme se méfiant des traditions, repoussant les miracles et se fiant uniquement à **la raison** et à **l'expérience**. Leur raison rapporte toutes les formes de la connaissance à la logique et à une observation minutieuse, suivant la règle scientifique proposée par Fontenelle dans l'*Histoire des Oracles* : « Assurons-nous bien du fait avant de nous inquiéter de la cause. »

Néanmoins, quand Usbek expose à son correspond la simplicité de la mécanique cartésienne et les grandes lois de la physique prénewtonienne, il ne cherche pas à célébrer et à vulgariser les conquêtes de la science, comme le fera Voltaire dans ses *Lettres philosophiques*. Il écrit, dans un élan d'enthousiasme, que la science (la philosophie), au-delà de religions différentes qui n'ont plus rien à s'apprendre, dépasse la religion. La raison, qui s'oppose à la foi, s'adresse à tous les hommes quand elle souligne **l'universalité de la justice** (lettre XCV), **l'universalité du droit naturel** (lettre CIV) ou **l'universalité des lois de la nature** (lettre XCVII). Elle doit ainsi contribuer à l'amélioration de la condition humaine et au bonheur de l'homme. On voit donc que le respect envers la religion affecté par Usbek permet de montrer, sous le masque, que la raison, par ses lumières, éclipse la Révélation.

L'apologie de la tolérance

Méconnaissant le caractère absolu de la foi et animé de la certitude que les persécutions religieuses contribuent à fortifier la croyance qu'elles prétendent anéantir, Usbek se demande s'« il n'est pas bon que dans un État il y ait plusieurs religions ». Montesquieu reviendra sur cette idée dans les *Considérations* où parmi les causes de la grandeur romaine il placera la pluralité des religions. Dès les *Lettres persanes*, il observe **en économiste** que les membres des minorités religieuses, susceptibles de se distinguer seulement par la fortune, contribuent à la richesse de l'État. **En sociologue**, il constate que la concurrence suscite une rivalité bénéfique, compte tenu du rôle social des religions. **En moraliste**, il souligne que la compétition entre les religions conduit chacun de leurs adeptes à observer un comportement édifiant. **En analyste politique**, il fait valoir que la pluralité entraîne une émulation dans l'obéissance à la royauté.

L'étude des contradictions inhérentes au prosélytisme*, qui fomente les guerres de religion, conduit à le condamner par des formules tranchantes et sévères : « maladie épidémique », « esprit de vertige », « éclipse entière de la raison humaine ». Le ton s'élève à une éloquence indignée dans la lettre LXXXV – courageux plaidoyer pour la tolérance annonçant les idées de Voltaire – quand Usbek, délaissant les conséquences d'ordre économique, social ou politique, fait ressortir l'antinomie entre l'intolérance et la charité, la raison ou la justice. Montesquieu place le phénomène religieux dans le contexte humain et social qu'il contribue lui-même à susciter et à faire évoluer, et révèle du point de vue de l'État tous les malheurs provoqués par l'intolérance. Mais l'essentiel réside dans son ardente conviction au service de l'humanité et de la justice, dans sa hardiesse généreuse à une époque où il est souvent dangereux de vouloir éveiller chez le lecteur une réflexion personnelle sur la monarchie et la religion.

REVUE SATIRIQUE DE LA SOCIÉTÉ

L'instabilité sociale

Étrangers persuadés de leur supériorité à l'égard des pays visités, convaincus par leur nationalisme et par le Coran que les musulmans détiennent la vérité, les Persans se livrent à une satire pénétrante des mœurs française que leur étonnement, on l'a vu, rend naturelle et plaisante. Spectateurs de la société où évolue le jeune Montesquieu à la fin du règne de Louis XIV et au commencement de la Régence, ils sont bien placés pour noter les absurdités de l'Occident et constater que les Français s'émancipent après la tutelle rigoriste du vieux roi et de Madame de Maintenon : la moralité de la nation s'effondre, le vice et le désordre gagnent tous les milieux.

Cette instabilité générale est favorisée par les vaines controverses religieuses – l'Église se perd en futiles contestations nées de la bulle *Unigenitus* – et par la malhonnêteté de Law : « Tous ceux qui étaient riches il y a six mois sont à présent dans la pauvreté et ceux qui n'avaient pas de pain regorgent de richesses. Jamais ces deux extrémités ne se sont touchées de si près [...] Quelles fortunes inespérées, incroyables à ceux qui les ont faites ! Dieu ne tire pas plus rapidement les hommes du néant. Que de valets servis par leurs camarades et demain peut-être par leurs maîtres » (lettre CXXXVIII). Il n'y a plus de valeurs morales dans les foyers et la société se renouvelle par le bas : « Le corps des laquais est plus respectable en France qu'ailleurs ; c'est un séminaire de grands seigneurs » (lettre XCVIII). Montesquieu constate avec une ironie narquoise cette corruption montante qui lui paraît irréversible : le mouvement, qu'il considère comme un facteur de progrès, est perverti en agitation frénétique, et dans une diatribe indignée l'écrivain énumère tous les bouleversements sociaux suscités par le système de Law.

La situation des femmes

Dans cette anarchie sociale généralisée, les femmes jouent un rôle que les Persans jugent particulièrement pernicieux. Dès la lettre XXVI, Usbek se scandalise de leur frivolité et de leurs mœurs libertines. On constate même que les maîtresses des rois protègent ceux que leur charme destine à de bonnes fortunes. Rica fait ressortir à son tour l'influence des femmes : le badinage nécessaire pour leur plaire « semble être parvenu à former le caractère général de la Nation : on badine au conseil ; on badine à la tête d'une armée ; on badine avec un ambassadeur » (lettre LXIII). Quant à leur passion pour le jeu ou la mode, elle invite le Persan à s'étonner de la charge financière très lourde qu'elle implique pour les maris, et plus généralement à critiquer la liberté dont jouissent les épouses, liberté qui lui paraît une licence. Les femmes sont poussées vers le plaisir par la corruption d'une nation « où l'infidélité, la trahison, le rapt, la perfidie et l'injustice conduisent à la considération » (lettre XLVIII).

L'impudeur des épouses, prisonnières du désir et de l'illusion, les transforme en femmes-objets, appréciées en fonction des seuls critères de la beauté et de la sociabilité. La généralisation du phénomène que Rica, au nom du point de vue persan, explique naturellement par l'absence d'enfermement dans le sérail, n'exclut pas quelques exceptions. Mais ces exceptions mêmes, associant laideur et vertu, confortent les observations du visiteur. Quand Rica se laisse séduire (lettre LVIII) par les cajoleries et l'élégance des vendeuses parisiennes, quand Usbek constate (lettre LVII) l'ambiguïté des relations entre les femmes et les prêtres – qui oublient leur vœu de chasteté et savent « dissiper les maux de tête » des jolies pénitentes – ou quand les désordres du sérail le conduisent aux pires menaces (lettre LXV) et quand Zélis fait un exposé sur l'éducation des filles et la condition des femmes en Orient, c'est toujours la même interrogation qui circule : **quelle est la situation de la femme dans la société ?** interrogation qui se rapporte aux fondements mêmes des sociétés humaines, et à laquelle un Persan et un Français ne peuvent que répondre différemment.

La satire des catégories sociales

La « révolution sociologique » dont Roger Caillois crédite Montesquieu à propos des *Lettres persanes* consiste, observe Jean Starobinski, à « omettre la singularité des individus pour ne retenir que leur appartenance à des sociétés restreintes, à des groupes nettement caractérisés », comme si les Persans portaient leur regard exclusivement sur les « ensembles » et les « sous-ensembles » observables dans la capitale. Le singulier, quand il est utilisé dans un portrait, correspond toujours à un pluriel : la catégorie dépeinte apparaît suffisamment représentée pour être « répertoriée ».

Montesquieu promène son lecteur dans un monde de parasites où il place en tête le fermier général, malappris dont la richesse fait oublier la vulgarité, le directeur de conscience, tartuffe parlant de leur chute aux charmantes pénitentes, le poète ridicule et quémandeur, l'officier mécontent qui se recommande non par l'héroïsme de ses exploits, mais par la longueur de ses récits, ou l'homme à bonnes fortunes étalant ses excès galants. Ailleurs Rica découvre un antiquaire maniaque et forcené, ou un homme important dont tout le talent consiste à bien renifler sa prise de tabac et à caresser élégamment son chien.

La vie intellectuelle n'est pas plus flattée. Rica est allé à la Comédie-Française où il observe aussi attentivement ce qui se passe dans les loges que ce qui se joue sur la scène. Sa description satirique (lettre XXVIII) présente le théâtre et l'opéra comme des exemples d'une mascarade universelle : partout règnent l'illusion et le factice. Quand à la lettre en abîme d'une actrice, intrusion du roman dans le roman, elle souligne la théâtralisation d'une société qui répond à des codes conformistes.

Le café est également et avant tout un lieu à la mode. Usbek y découvre un miroir des illusions et des ambitions littéraires, un lieu de vanités où les beaux esprits s'orientent vers la pure sophistique. Son bon sens narquois disqualifie (lettre XXXVI) les arguments puérils échangés par les protagonistes de la querelle d'Homère (la seconde querelle des Anciens et des Modernes, suscitée en 1714 par une traduction de l'*Iliade* précédée d'un *Discours sur Homère* par Houdart de la Motte). Ignorant l'enjeu du débat – la beauté de l'*Iliade* (et de toute œuvre littéraire) peut-elle s'apprécier en fonction des progrès de la raison et de la science? –, Usbek remarque surtout la violence et la grossièreté des disputeurs littéraires. Tandis que l'Académie et l'Université de Paris croulent sous la routine et le ridicule, les poètes et les romanciers passent leur vie à chercher la nature et ne la trouvent jamais.

Montesquieu n'épargne pas son propre ordre et nous présente des magistrats que leur légèreté et leur ignorance contraignent à demander aux avocats comment statuer (lettre LXVIII). Les séances des tribunaux laissent sceptique sur le bien-fondé des arrêts rendus dans un univers où « il y a très peu d'esprits justes ». L'incapacité est au pouvoir dans une France où les « décisionnaires » omniscients étalent (lettre LXXII) leur vaine forfanterie et où les Persans côtoient des êtres légers, agités et instables.

La comédie sociale

C'est que l'Occident joue dans les *Lettres persanes* une véritable **comédie sociale**. À la Comédie-Française, le théâtre est dans la salle. Dans un monde qui se ment à lui-même on est condamné à séduire par les apparences. De là viennent le désir des hommes de présenter à tout prix une image avantageuse d'eux-mêmes et leur habitude de parler pour ne rien dire : « Leurs conversations sont un miroir qui présente toujours leur impertinente figure » (lettre L). De là vient l'importance de la mode (lettre IC) : ses caprices, se répercutant de la Cour à la province, aident à comprendre le fonctionnement d'une société très hiérarchisée, où l'on prend l'artifice pour la nature et dont la mécanisation, le ridicule ou les désordres tiennent à la pesanteur exercée par les repères sociaux dans un univers en trompe l'œil.

LA POLITIQUE

La pratique du pouvoir

Convaincu comme le dira Rousseau que « les peuples sont à la longue ce que le gouvernement les fait être » (*Encyclopédie*, article « Économie politique »), Montesquieu invite les Persans à observer la pratique du pouvoir tel que l'exerce en France Louis XIV. Leur manque de recul permet d'excuser l'audace du regard, d'autant que, par une protection prudente contre la censure, l'ignorance des personnes – Rica ne nomme jamais Louis XIV, mais le désigne par des périphrases – se joint à l'imprécision de la chronologie pour contribuer à masquer la satire.

La première lettre de Rica envoyée de Paris révèle l'importance de la satire politique dans les *Lettres persanes*. Après avoir opposé le rythme agité et les dangers présentés par les rues de la capitale à la lenteur paisible qui règne dans les rues d'Orient, le Persan montre que la puissance majestueuse du roi repose sur la crédulité de ses sujets, qui lui permet d'accomplir des prodiges : « Ce roi est un grand magicien. » Derrière ce pouvoir surnaturel, Rica décèle la supercherie : la création artificielle d'offices nouveaux, parfaitement inutiles, mais vendus très cher parce qu'ils confèrent la noblesse, permet au roi d'alimenter ses finances. Dénoncé au nom de la morale, cet abus permet à Montesquieu une analyse sociologique : ses richesses, le roi « les tire de la naïveté de ses sujets en flattant leur vanité ». C'est une première ébauche de la théorie de l'*Esprit des lois* (III, 7), sur le rôle de l'honneur dans les monarchies.

La chronique de Rica se poursuit par une démonstration de l'illusion exercée par un souverain ravalé irrespectueusement au rôle de bonimenteur de foire. On part d'un pouvoir magique et on aboutit à des recettes simples (« il n'y a qu'à ») relevant de la fabrication et de la mise en circulation de fausse monnaie. Plus hardie encore, la satire devient désacralisante quand elle s'attaque au pouvoir de guérirson dont les Rois de France bénéficiaient après leur sacre à Reims. C'est en effet l'exercice du droit divin par la monarchie chrétienne qui est mis en cause par un mahométan irrévérencieux dans une attaque de tonalité déjà voltairienne contre le surnaturel.

Usbek, réputé pourtant par la mesure de ses analyses, n'est pas moins sévère à l'égard du Roi-Soleil : Louis XIV, qui se choisit une maîtresse de quatre-vingts ans et un ministre de dix-huit, déclenche des guerres pour des motifs futiles, et souvent « préfère un homme qui le déshabille, ou qui lui donne la serviette lorsqu'il se met à table à un autre qui lui prend des villes ou lui gagne des batailles » (lettre XXXVII). La galerie des autres rois brille également par ses extravagances : les rois de Perse sont des ivrognes imprégnés d'alcool et dégradés par leur harem, le Mogol s'engraisse comme un bœuf, le pitoyable roi de Guinée se prend pour le centre de l'univers. Dans ce monde de l'aveuglement et de la mégalomanie, les débuts de la Régence en France tranchent par l'accord de la raison et d'un pouvoir libéral, mais quelques années plus tard Law accentue encore (lettre CXLVI) le processus de dégradation et de démoralisation entamé sous le règne de Louis XIV.

Plus encore que les souverains sont mis en cause leurs conseillers. Le rôle de ces derniers est analogue à celui des eunuques qui suscitent constamment chez Usbek les soupçons, la fureur ou la volonté de sévir. Si les ministres apparaissent si dangereux, c'est que leurs suggestions tendent non pas à assurer le pouvoir du prince, mais à augmenter leurs propres pouvoirs. Les flatteries des ministres ambitieux ne constituent pas le seul risque menaçant les souverains. Ceux-ci sont également conduits par leur sensualité et leurs craintes religieuses, comme le constate Usbek (lettre XXXVII) : « On ne peut jamais connaître le caractère des rois d'Occident jusqu'à ce qu'ils aient passé par les deux grandes épreuves de leur maîtresse et de leur confesseur. »

Monarchie et despotisme

L'itinéraire d'Usbek est celui qui mène du despotisme implanté en Asie au despotisme qui s'impose en Russie ou qui tend à s'installer en Europe où il n'est pas encore invétéré. Montesquieu participe en effet à un courant d'idées qui s'interroge en début du XVIIIe siècle sur le processus irrésistible d'extension de l'autorité royale en France conduisant à

un totalitarisme de l'État, c'est-à-dire au despotisme. Annonçant l'*Esprit des lois*, Montesquieu part des relations entre le souverain et la nation pour opposer (lettre CII et CIV) le despotisme de la Perse et le régime anglais (où en l'absence de tout droit divin, le pouvoir vient du peuple) tandis qu'un régime intermédiaire, celui de la France, illustre l'exercice de la monarchie. On est au cœur de la problématique des *Lettres persanes* : les relations entre les droits des sujets et ceux des princes, les rapports entre la liberté et la justice, bref le problème de **la répartition des pouvoirs** au moment où la noblesse française, écartée par Louis XIV des emplois importants au profit de la bourgeoisie, criblée de dettes et réduite à l'oisiveté courtisane d'une vie artificielle, ne joue plus le rôle que Montesquieu lui attribuera dans l'*Esprit des lois* en tant que corps intermédiaire.

La monarchie parfaite est pour l'écrivain un régime modéré où deux pouvoirs s'équilibrent. Montesquieu en découvre (lettre CXXXI) l'origine dans les coutumes des peuples barbares qui ont envahi l'Europe occidentale au Vᵉ siècle : ils « déposaient leurs rois dès qu'ils n'en étaient pas satisfaits » et « l'autorité du prince était bornée de mille manières différentes ». Il considère que, depuis cette époque, les monarchies européennes ont dégénéré soit en république (tel est le cas de l'Angleterre : la lettre CIV montre que les Anglais refusent l'idée de monarchie de droit divin et lui substituent les notions d'efficicence et de bienfaisance ; dès lors l'abus du pouvoir provoque le retour à la liberté naturelle au nom du principe démocratique de majorité), soit plus généralement en despotisme (c'est le cas en France, parce que les princes, à l'époque de l'invention des bombes au XIVᵉ siècle, se sont mis à disposer d'armées « avec lesquelles, note Rhédi dans la lettre CV, ils ont dans la suite opprimé leurs sujets »).

Montesquieu ne présente pas dans les *Lettres persanes* une définition de la monarchie aussi précise que celle de l'*Esprit des lois* (le régime « où un seul gouverne, par des lois fixes et établies, au lieu que dans le despotique un seul, sans loi et sans règle, entraîne tout par sa volonté et son caprice », II, 1). Mais il est déjà très proche de ses théories sur la disparition ou la déviation des principes fondant les régimes politiques (« La corruption de chaque gouvernement commence presque toujours par celle de ses principes », VIII, 1).

L'« Apologue de Troglodytes »

Pour répondre à son ami Mirza, qui l'interroge sur la vertu*, Usbek préfère une parabole à une discussion morale et politique. D'où les quatre lettres des 3, 6, 9 et 10 août 1711, présentant comme une sorte de feuilleton ce récit en abîme agrémenté par ses aspects naïfs et sa couleur orientale. Tout s'y passe, en mal comme en bien, de façon trop parfaite pour correspondre à la réalité sociale, peut-être parce que la pensée de Montesquieu n'a pas encore trouvé toute sa plénitude : si la préexistence des lois éternelles de justice et de sociabilité aux lois positives peut justifier presque tout système politique, l'affirmation de la lettre XCV (« une société ne peut être fondée que sur la volonté des associés ») implique une conception du contrat social insupportable pour un partisan attentif de la monarchie. Et d'ailleurs cette affirmation est supprimée dans la réédition de 1754, comme si Montesquieu évitait prudemment de proposer une théorie contractualiste de l'État. Toujours est-il que la parabole des Troglodytes offre une « microfiction dramatisant les réflexions éparses du roman » (Réel Ouellet) et cherchant à concilier les lois naturelles et le pacte politique.

L'histoire des premiers Troglodytes permet de constater la dégradation de la monarchie : plus clairvoyant que ses sujets, un souverain étranger, sorte de despote éclairé, ne réussit pas à éduquer un peuple foncièrement méchant et il est assassiné ; la création d'un gouvernement oligarchique se termine aussi dramatiquement et pour les mêmes raisons. Situés tout près de la bête, physiquement et moralement, les anciens Troglodytes se complaisent dans l'anarchie. Vivant dans l'état de « guerre de tous contre tous » décrit par Hobbes, où la force prime toute légitimité et où l'intérêt brutal détermine les relations entre individus, les Troglodytes sont nécessairement conduits à s'autodétruire, ce qui s'explique par des raisons climatiques et morales (l'absence de justice et d'équité), et sanctionnés par une punition divine.

Sauvées miraculeusement de la destruction universelle, deux familles vertueuses reconstituent le peuple troglodyte et offrent dans la lettre XII un contraste absolu avec leurs indignes ancêtres : leur bonté naturelle les conduit au bonheur sans lois ni roi. Montesquieu présente ainsi une esquisse des principes du gouvernement républicain. Il en voit une condition première dans la coïncidence (favorisée par le rôle de la communauté familiale dans l'éducation) entre l'intérêt des particuliers et l'intérêt général : la vertu* politique s'enracine dans la vertu morale et la dépasse afin d'atteindre « la justice pour autrui ». L'âge d'or ne relève d'aucun contrat, ni d'aucun pacte divin.

Pourtant ce régime idéal ne convient qu'à un État de petite taille. Montesquieu (devançant les idées que développera Rousseau dans *Le Contrat social*, la *Lettre à d'Alembert* ou le *Projet de constitution pour la Corse*) pense que le gouvernement républicain est réservé à des États de petite taille : confrontée à l'accroissement rapide de sa population, la nation troglodyte souhaite passer de la république à la monarchie. Soucieux de l'intérêt général, mais dépassés par le développement de leur collectivité, les Troglodytes pensent que la monarchie, considérée comme un mal nécessaire, peut seule les contraindre à respecter l'intérêt général. Les principales théories de l'*Esprit des lois* (tout gouvernement est fondé sur un principe ; la démocratie repose sur la vertu, qui est inutile dans la monarchie ; le principe de la monarchie, « l'honneur », c'est-à-dire l'ambition, conduit au bonheur de l'État même si les individus sont conduits par l'égoïsme ; la corruption du principe entraîne la dégradation de tout régime politique) sont déjà réunies dans cette parabole orientale écrite par Usbek peu après son départ d'Ispahan.

L'Orient terre du despotisme

Les observations très pessimistes d'Usbek sur l'état pitoyable de l'Empire turc ne s'expliquent pas seulement par l'antagonisme traditionnel des Persans et des Turcs et par trente-cinq jours de marche à l'allure des caravanes à travers le plateau désertique de l'Anatolie. « Dissident » à Ispahan, d'où il a dû solliciter l'autorisation de partir, Usbek constate dans la lettre XIX l'absence de toute structure politique, juridique, militaire, économique et sociale chez les Ottomans et explique leur décadence par **le despotisme**. L'Orient incarne ce régime qui pétrifie la Turquie, alliant la ruine économique, la misère sociale, la décadence militaire, l'inefficacité scientifique et technique. L'anémie de l'État y découle de l'absence de liberté et suscite des « remèdes violents » qui ne résolvent rien : le tyran est remplacé par un autre tyran qui gouverne comme lui, poussant la sévérité des lois et la violence à leur point extrême. Le despote, dont le gouvernement est fondé sur la terreur, abêtit ses sujets et prend appui sur l'armée, ce qui d'ailleurs l'expose à des coups d'État : « Il n'y a jamais d'intervalle entre le murmure et la sédition » (lettre LXXX). Ce régime de mort est inapte à résoudre les problèmes, quels qu'ils soient.

Le despotisme circule à travers tout le roman et cette présence obsédante traduit l'aversion de Montesquieu pour ce régime : il tire parti des moindres occasions pour le stigmatiser et le présentera dans l'*Esprit des lois* comme une gangrène rongeant tous les autres régimes. La condamnation du caractère antinaturel du despotisme entraîne la prise en compte de la violence et du désordre social comme des infractions à la raison. Le roman accumule les méditations sur la justice, le droit, la nature de Dieu et offre à travers des contes le sentiment du bonheur, de la vertu et de la liberté, ces contes « par où se dit, dans l'Orient écrasé et réduit au silence, l'irrépressible nostalgie des valeurs humaines authentiques » (Jean Goldzink). Existe-t-il une thérapie du despotisme ? Montesquieu laisse son lecteur dans l'incertitude. Pourtant Usbek et Rica s'arrachent à la pétrification de la Perse et vont de découverte en découverte au contact des idées de liberté, de tolérance, de raison et de nature. Reste à savoir si un Persan peut remettre en cause le despotisme alors qu'il demeure profondément fidèle à sa religion et à l'institution du sérail.

LA FICTION DU SÉRAIL

Les ingrédients du drame

Le roman de sérail débute dès la seconde lettre : Usbek y découvre les tourments où le jette une jalousie exacerbée et, sentant que l'éloignement affaiblit son pouvoir, rappelle au premier eunuque noir les vertus cardinales du harem, c'est-à-dire l'ordre, l'obéissance et la vertu. Ses femmes, dressées pour être des instruments de plaisir à l'usage exclusif de leur époux, ressentent douloureusement l'absence de leur maître et recherchent des compensations que les eunuques ont pour mission de dépister. Leurs protestations annoncent la détérioration de la situation dans le sérail. Dans ce monde où règnent la rivalité et la délation, elles apparaissent comme des désenchantées et des désespérées : Anaïs, dans le conte de la lettre CXLI s'évadera par le rêve érotique sous l'effet du refoulement ; Roxane – dont l'histoire apparaîtra comme celle d'un amour contrarié – se suicidera quand le jeune homme qu'elle aime sera tombé sous les poignards des eunuques.

À l'égard de ses épouses recluses, qui n'enflamment plus son désir, mais seulement, on l'a vu, sa jalousie, Usbek apparaît mû par un pur instinct de possession : il constate lui-même que de sa froideur « sort une jalousie secrète qui le dévore d'angoisse ». De plus son éloignement, dans un domaine qui implique le secret, le rend à la fois incapable d'agir si une révolte se produit et inquiet de l'humiliation publique où l'exposerait un malheur fatal pour son orgueil de propriétaire. Compte tenu de ce que le harem et le climat font de ses femmes, Usbek en quittant Ispahan s'est pris lui-même dans un piège infernal. Tous les ingrédients d'un drame au sérail paraissent donc réunis.

L'aveuglement d'Usbek

L'analyse psychologique de la situation vécue par les épouses soumises à tous les devoirs, mais privées de tout droit, montre que Montesquieu utilise la fiction du sérail pour mener une analyse sociologique comparative de la condition féminine (voir p. 38) en Orient et en Occident : Usbek expose lui-même à Roxane (lettre XXVI) les contrastes qu'offrent les mœurs des femmes à Ispahan et à Paris. Rica place les Persanes avant les Françaises sous le rapport de la beauté, attribuant leur teint merveilleux à leur vie réglée et soumise. Zélis explique à Usbek quelle bonne éducation – tout orientale – elle va donner à leur fille : la liberté de la femme au harem n'a rien à voir avec celle de la Parisienne. « Vous vous vantez d'une vertu qui n'est pas libre », écrit dédaigneusement Usbek à Zachi (lettre XX).

Cette ambiguïté constitue le signe de l'aveuglement d'Usbek. Accédant d'emblée à une philosophie politique profonde avec l'histoire des Troglodytes, dévoilant les masques et prônant la raison à Paris, le héros s'abandonne à l'oppression et à la violence dès qu'il s'agit de sexualité à Ispahan. Incapable de mettre ses actes en rapport avec ses idées, il exerce de loin sur son sérail un pouvoir ignorant toute mesure. « Philosophe et tyran, il finit par terroriser des femmes qu'il méprise et qu'il ne désire pas par l'entremise d'esclaves qu'il abhorre » (Jean Goldzink). L'« Histoire d'Ibrahim et Anaïs » (lettre CXLI), conte libertin et érotique imaginé par Rica pour plaire à une dame de la Cour qu'a indigné le sort réservé en Perse aux épouses du harem, dénonce l'orgueil masculin. Permettant une revanche à l'épouse opprimée et offrant un exact inverse du cercle morbide du sérail, il résonne comme un avertissement pour son destinataire, Usbek. Si celui-ci en comprenait la signification, il pourrait se comporter comme l'homme divin émancipant le sérail. Mais le despotisme ne saurait se réformer par la seule vertu d'un conte.

Sérail et montée du despotisme

Le sérail inscrit dans la fiction romanesque la réflexion politique menée tout au long des *Lettres persanes*. Il apparaît comme la métaphore emblématique du despotisme ou plus exactement de la tendance qui mène de la monarchie au despotisme. Les eunuques jouent auprès d'Usbek le rôle fatal joué auprès de Charles XII par ses conseillers (lettre CXXIV). Solim ou le Grand Eunuque, excitant sans trêve la jalousie de leur maître, ont le comportement que Montesquieu dénonce chez Richelieu, Louvois ou Law, portés à se laisser entraîner par la tentation de l'abus propre à tout pouvoir.

Véritable mécanisme diabolique, le sérail conduit au despotisme sous l'effet cumulé des rapports de force et d'une logique augmentant la fureur des épouses délaissées de la jalousie d'Usbek. C'est pourquoi le suicide de Roxane n'est pas seulement une revanche de l'amour absent et des illusions perdues : l'héroïne conquiert la liberté par l'adultère et plus encore par le défi que constitue l'aveu de cet adultère. Elle peut ainsi humilier Usbek de façon éclatante après avoir réussi à renverser la relation entre le dominateur et le dominé. Sa révolte en appelle aux valeurs universelles de la « nature », c'est-à-dire la raison chère au XVIIIe siècle, une raison universellement libératrice et portant condamnation de ce despotisme oriental dont on a vu que Montesquieu le considère comme le repoussoir d'une monarchie authentique.

Il resterait à se demander si Montesquieu – par une étonnante prémonition des orages romantiques ou de la philosophie de l'amour fou du XXe siècle depuis Radiguet –, souhaite vraiment légitimer les droits du sentiment, l'exaltation de la passion, le parjure de la loi civile ou la révolte contre le pouvoir. Mieux vaut éviter ces interrogations hasardeuses et conclure avec Jean Goldzink que le roman de sérail aboutit à une aporie : « Il n'est pas possible de condamner Roxane et il est impossible de l'approuver. Autorité tyrannique d'un côté, autodestruction anarchique de l'autre », c'est sur un dilemme que Montesquieu abandonne le lecteur, au moment où la volonté de destruction s'oppose au besoin d'ordre. Une de ses *Pensées* (1853) éclaire à merveille le dénouement des *Lettres persanes* : « Ce qui produit dans le monde les divisions funestes, c'est l'autorité souveraine, d'un côté, et la force du désespoir, de l'autre. »

LES FACETTES SU STYLE

Métamorphoses

Le genre du roman épistolaire permet à Montesquieu d'associer un renouvellement permanent de la forme à la variété des sujets et des destinataires : les *Lettres persanes* inaugurent un style marqué par de constantes métamorphoses. À l'idylle bucolique et arcadienne adaptant une nostalgie poétique au caractère pastoral* du récit succède, dans l'« Histoire des Troglodytes », l'éloquence du vieillard empruntant au style romain l'accumulation des interrogations, les exclamations, les hyperboles*, les antithèses et les reprises d'expressions pour rappeler la relation permanente qu'entretiennent la vertu et la liberté. À l'emphase ornementée de la lettre tout « orientale » d'Usbek à son esclave Pharan (lettre XLIII) font suite des formules originales et incisives destinées à Rhédi : « Il y a, en France, trois sortes d'états : l'Église, l'épée et la robe. Chacun a un mépris souverain pour les autres » (lettre XLIV).

Les alternances ne sont pas moins sensibles dans la tonalité des lettres développant la subjectivité du destinateur. Tantôt Usbek, *alter ego* de Montesquieu, propose sereinement la conclusion rationnelle d'une analyse : « Voilà, cher Rustan, une juste idée de cet empire, qui, avant deux siècles, sera le théâtre des triomphes de quelque conquérant. » Tantôt, découvrant son mépris pour l'immoralité et sa croyance dans la justice, il laisse libre cours à la véhémence de son indignation : la reprise en leitmotiv des « J'ai vu » souligne dans la lettre CLXI combien il est choqué par la décomposition sociale consécutive au système de Law. On voit donc que la variété du style apparaît comme le principe constitutif des *Lettres persanes* fondées sur une esthétique de la surprise.

Humour, badinage, caricature et ironie

« Tout l'agrément consistait dans le contraste éternel entre les choses réelles et la manière singulière, bizarre dont elles étaient aperçues », note Montesquieu dans ses remarquables *Quelques réflexions sur les Lettres persanes*, où il esquisse l'essentiel de ce que la critique littéraire a décelé depuis dans son œuvre.

La finesse de l'analyse se mêle au badinage quand Rica, sans craindre l'hyperbole, met en relief la fréquence des changements de la mode, leur rapidité, leur ampleur, ou leur coût : « On ne saurait croire combien il en coûte à un mari pour mettre sa femme à la mode » (lettre IC). À partir d'une observation attentive des réalités, Rica glisse volontiers vers la caricature, n'hésitant pas à colorer son persiflage d'outrances : quand une femme cède aux caprices de la mode sa coiffure ou ses talons peuvent être mis « au milieu d'elle-même ». Jeux de mots, sous-entendus, métaphores filées font partie d'une rhétorique qui aboutit à des formules étincelantes – « Les Français ne parlent presque jamais de leurs femmes : c'est qu'ils ont peur d'en parler devant des gens qui les connaissent mieux qu'eux » (lettre LV) –, ou à des raccourcis meurtriers. Ainsi Rica, épuisé par la diarrhée verbale du décisionnaire, abdique : « Mon parti fut bientôt pris : je me tus, je le laissai parler, et il décide encore » (lettre LXXII).

L'ironie affleure constamment « soit sous la forme du trait, de la pointe qui jaillit ou saille ici et là, de la chute où le paragraphe pirouette, soit sous le vêtement d'une phrase d'une plus savante complexité, dans l'embarras feint de laquelle le lecteur aiguisera lui-même son esprit » (Pierre Nardin). Soulignant l'écart entre ce qui est et ce qui devrait être, elle conduit Usbek, dans la lettre CI, à répondre par un renversement à la remarque satisfaite de l'évêque : « Ne voyez-vous pas que le Saint-Esprit nous éclaire ? – Cela est heureux, lui répondis-je, car de la manière dont vous avez parlé aujourd'hui, je reconnais que vous avez grand besoin d'être éclairé. »

L'art du portrait et de l'animation

Montesquieu renouvelle aussi l'art du portrait : vus par un regard étranger, les ridicules ou les objets de scandale que l'accoutumance masque aux yeux de ses compatriotes apparaissent en pleine lumière. Le portrait du fermier général (lettre XLVIII) met en relief, grâce à l'ingénuité calculée d'Usbek et à la rosserie de son cicerone, le contraste qui s'établit au XVIIIe siècle entre l'importance sociale de l'argent et la vulgarité des hommes d'argent. L'écrivain excelle aussi dans les instantanés visuels de ses portraits-charges : qu'il s'agisse de l'alchimiste (lettre XLV), des casuistes (lettre LVII), du décisionnaire (lettre LXXII), du grand seigneur infatué (lettre LXXIV) ou du géomètre (lettre CXXVIII), quelques formules expressives, empruntant à l'art du caricaturiste, font ressortir le modèle, aussi fidèlement « exécuté » que par un dessinateur humoristique.

Ces portraits, Montesquieu sait les animer en jouant de l'écriture théâtrale. Rica surprend derrière une cloison le monologue (lettre LIV) d'un bel esprit répétant les bons mots qui lui garantiront, ainsi qu'à son interlocuteur caché, le succès dans les salons à la mode. Mettant en scène de vieilles coquettes qui trompent sur leur âge, il construit la lettre LII comme une véritable scène de comédie, avec une exposition, une suite de scènes, un double mouvement et le recours du comique de répétition. L'art de l'animation apparaît aussi dans un rythme cinématographique : les effets d'instantanéité dans le mouvement de montée ou de descente des coiffures font ressortir (lettre IC) les caprices de la mode et l'apparition ou la disparition des mouches sur le visage des femmes. Quant à l'aptitude de Montesquieu à glisser vers l'écriture dramaturgique, elle apparaît dans les monologues tragiques, celui d'Usbek déchiré entre des souhaits contradictoires (lettre CLV) ou celui de Roxane exaltant, avec une ironie blessante et meurtrière, les droits de la femme et de la passion.

Visuel ou abstrait, souple et mobile, allusif ou meurtrier, capable d'émouvoir et de charmer, le style des *Lettres persanes* se coule dans tous les moules. L'esthétique de la fragmentation, de l'ellipse et du contraste fait de Montesquieu un modèle dont s'inspireront les écrivains du XVIIIe siècle, et qui suscitera l'admiration de Stendhal. *Racine et Shakespeare* ne caractérise-t-il pas le style des *Lettres persanes* par une succession de superlatifs flatteurs : « le plus saillant », « celui qui réveille le plus », « le plus cynique », « le plus rapide », « celui qui imprime le plus fortement la pensée dans l'esprit du lecteur », « le plus concis », « le plus grandiose » ?

Le Temple de Cnide (1725)

Quoi de plus varié que l'œuvre de Montesquieu ? Entre des mémoires sur les questions les plus diverses des sciences physiques ou biologiques s'insère la polyphonie* épistolaire des *Lettres persanes*, entre des monographies historiques, politiques ou économiques se glissent divers ouvrages de fiction. Sensible aux modes de son temps, l'écrivain ne dédaigne pas de sacrifier épisodiquement à la création romanesque, usant de formes littéraires qui ne se ressemblent guère : à l'idylle du *Temple de Cnide* succèdent un divertissement oriental, *Arsace et Isménie*, puis un conte philosophique, l'*Histoire véritable*.

DESCRIPTIF

Une *Préface du traducteur* permet à l'auteur de désavouer toute paternité de son œuvre : il prétend n'être que le traducteur et l'éditeur d'un manuscrit grec anonyme découvert en Turquie. La description de l'Île de Cnide, de ses jardins et de son temple, célèbre pour le culte très pur qu'on y rend à Vénus, offre le cadre d'un récit consacré au bonheur d'aimer passionnément, fidèlement et constamment (chant I). L'exposition se fait aux chants II et III : le dorien Aristée et le narrateur, venu de Sybaris, sont tombés amoureux, le premier de Camille qui répond à sa passion, le second de Thémire qui remporte le prix de beauté aux jeux sacrés devant des concurrentes venues de tout le bassin méditerranéen. Le narrateur raconte à Aristée ses aventures jusqu'au moment où il a rencontré Camille (chant IV). L'his-

toire d'Aristée et de Camille se résume à toutes sortes de
variations sur leur tendre sentiment (chant V). Le nœud se
forme (chant VI) quand la Jalousie et la Fureur s'attaquent
aux deux héros. Ils en triomphent et le dénouement naît
d'un baiser amoureux accordé par Thémire (chant VII).

Pastiche de roman grec dans la manière des écrivains
alexandrins, *Le Temple de Cnide* répond au souhait de
Montesquieu, au moment où Madame de Lambert patronne
sa candidature à l'Académie française, de faire oublier les
préventions suscitées par la satire politique et religieuse des
Lettres persanes. Ce roman léger, qui reprend la veine
galante des *Lettres persanes*, et dont l'auteur reconnaîtra
en 1743 qu'il vise à faire une peinture poétique de la
volupté, rappelle le charme du *Daphnis et Chloé* de Longin.
D'Alembert, qui l'admire, y voit un « poème en prose ».
Divisé en chants dans la réédition de 1743, *Le Temple de
Cnide* est une œuvre mondaine, une œuvre à clefs, qui
sublime à travers la belle Thémire, principal personnage
féminin de la fable, les amours de Mademoiselle de Bourbon,
sœur du premier ministre, avec le duc de Melun, en les
situant dans l'âge d'or de la Grèce antique. Vantant lui-même
son roman pastoral, Montesquieu constate que « le public y a
trouvé des idées riantes, une certaine magnificence dans les
descriptions et de la naïveté dans les sentiments ». Resserrée
dans les limites d'un conte, l'œuvre résout l'aporie de l'articulation d'une histoire simple et d'un univers atemporel : elle
se présente comme la dilatation d'un instant organisé autour
du séjour à Cnide d'un narrateur-personnage, le fils d'Anti-
loque, et s'apparente à la forme du roman à la première personne que Montesquieu vient magistralement d'approprier
au genre épistolaire dans ses *Lettres persanes*. Bien dans le
goût du temps, ce petit roman, dont les mignardises relèvent
du style rococo et dont la musicalité voluptueuse confine
parfois à l'érotisme, annonce le développement de l'idylle à
la fin du XVIIIe siècle. Il exerce une influence durable en
France de Vivant Denon à Sylvain Maréchal, en Italie d'Alga-

rotti à Leopardi. *Le Temple de Cnide* est, de toutes les œuvres de Montesquieu, celle qui a été le plus souvent éditée et traduite.

Histoire véritable
(posthume 1892)

RÉSUMÉ

Un pauvre barbier de Tarente raconte à son ami Ayesda les métamorphoses successives qu'il a connues dans ses existences antérieures depuis quatre mille ans. Fripon notoire et valet d'un vieux gymnosophiste indien, il s'enfuit quand son maître s'immole sur un bûcher. Un marié jaloux le tue et, après la pesée morale de son existence par une assemblée de philosophes, il est condamné à prendre la forme des plus vils animaux, tout en gardant la mémoire de toutes les révolutions de son être. Après avoir subi quatre ou cinq cents « transmigrations d'insectes en insectes », il devient oiseau, puis petit chien, puis loup. Bœuf en Égypte, le voilà adoré comme le dieu Apis. Éléphant au Tibet, il s'élève à la sagesse (livre I). Mais à peine redevenu homme il est pendu, renaît en collecteur d'impôts, puis en courtisan, en officier, en joueur, en escroc, mais, puni par un génie, doit prendre la forme d'un cheval (livre II). Métamorphosé en femme, puis en eunuque, puis en femme de harem, puis en maître de harem, il est ensuite changé alternativement en homme ou en femme, et relate ses liaisons amoureuses (livre III). D'autres transmutations lui permettent de vivre toutes les situations, du roi à l'esclave, de l'infirme au médecin, du bel esprit à l'ennuyeux, du fou au philosophe. C'est l'occasion d'une satire sociale brillante (livre IV) complétée par la revue des hommes et des nations que lui permet de nouer et d'exploiter la compagnie de génies successifs. Son dernier avatar laisse le héros à Tarente, pauvre et insatisfait (livre V).

C'est encore le choix de la première personne qui permet à Montesquieu, dans son *Histoire véritable* – dont on ne peut déterminer la date exacte, entre 1723 et 1738 – de conférer au narrateur une place centrale dans le récit. Si le hasard paraît présider aux métamorphoses successives du barbier et influencer sa destinée, l'auteur associe la progression des événements à la psychologie de son personnage qui évolue, au fur et à mesure de ses avatars, subissant une véritable transformation intérieure. À connaître toutes les situations sociales imaginables, le barbier offre au lecteur une image très critique de l'homme : escroc incorrigible malgré les chances innombrables de se racheter qui lui sont offertes par les génies, il suscite une vision pessimiste de l'humanité.

Les métamorphoses de son héros permettent à l'auteur une satire primesautière et cruelle de la société, d'une société approximativement située dans la Sud de l'Italie. On voit que, comme dans les *Lettres persanes*, la fiction et le dépaysement, si caractéristiques de la littérature d'idées au XVIIIe siècle, favorisent l'observation des mœurs. Le barbier de Tarente refuse toute illusion, il sait rire et faire rire, usant d'un style limpide et volontiers caustique qui confine parfois à la dérision voltairienne. Ce roman de la métempsychose possède un pouvoir de contestation certain. C'est peut-être pourquoi Montesquieu – après avoir envisagé de transformer en dialogue le récit de son héros – a renoncé à le publier.

Arsace et Isménie, ## histoire orientale (1742)

RÉSUMÉ

À la mort du roi Artamène, auquel succède sa fille Isménie, la Bactriane est gouvernée par un sage ministre, Aspar, le premier eunuque du palais. Une agression du roi d'Hyrcanie est repoussée grâce à l'aide d'un vaillant étranger qui, après la victoire, raconte à Aspar les traverses de son existence. Notre seigneur mède a rompu tout projet d'alliance avec la fille de son roi pour rester fidèle à son épouse Arsacide. La fidélité des deux amants les a entraînés dans une succession d'aventures et d'épreuves souvent cruelles. Après avoir surmonté tous les obstacles, ils se retrouvent en Bactriane – Artamène et Aspar avaient fait élever Isménie secrètement en Médie sous le nom d'Ardasire, avant de la rappeler sur le trône de la Bactriane –, où ils forment un couple idéal de souverains éclairés.

COMMENTAIRE

C'est encore à une mode du temps que sacrifie Montesquieu avec le divertissement oriental d'*Arsace et Isménie*. Reprenant le ton des *Lettres persanes* pour faire plaisir à Mademoiselle de Charolais dont il fréquente le salon, il entreprend en 1742 de reconter les mésaventures de deux amants dont la fidélité conjugale déjoue les obstacles et qui s'élèvent au trône de Bactriane, un pays fictif situé entre l'Hyrcanie, la Médie et l'Égypte. Cette histoire romanesque, où se succèdent enlèvements, travertissements et assassinats, constitue une petite utopie* sentimentale et politique. Son héros, persuadé « que le bien ne devait couler dans un État que par le canal des lois » et « que le devoir des princes ne consistait pas moins dans la défense des lois contre les passions des autres que contre leurs propres passions », fonde la monarchie idéale. Sa modération et son souci de constituer un État de droit répondent exactement à l'idée directrice de l'*Esprit des lois*, au moment où dix-huit livres du grand ouvrage de Montesquieu sont déjà rédigés. Convaincu que ce roman de l'amour conjugal était trop éloigné des mœurs françaises pour être bien accueilli, Montesquieu préfère ne pas le publier. Il paraîtra seulement en 1783 dans les *Œuvres complètes* de Montesquieu éditées par son fils.

L'HISTORIEN

Considérations sur les causes de la grandeur des Romains et de leur décadence (1734)

INTRODUCTION

Dès sa jeunesse Montesquieu est attiré par l'histoire romaine : à vingt ans il écrit un *Discours sur Cicéron*. Son *Historia romana*, sa *Dissertation sur la politique des Romains dans la religion* – où il félicite les Romains d'avoir su « faire la religion pour l'État et non l'État pour la religion » –, puis le *Dialogue de Sylla et d'Eucrate*, qui offre une méditation sur les rapports entre l'héroïsme et la liberté, témoignent de la constance manifestée par cette attirance. Son voyage en Italie, en 1728–1729, renforce son goût pour un passé qu'il avait découvert jusque là uniquement dans les livres. Mais il ne faut pas chercher en Montesquieu un simple historien de Rome. Ses *Considérations sur les causes de la grandeur des Romains et de leur décadence*, rédigées de 1731 à 1733 et parues en 1734, doivent être abordées à partir d'une élégante formule de d'Alembert : c'est une « histoire romaine à l'usage des hommes d'État et des philosophes ».

RÉSUMÉ

Créée par des rois qui furent de grands hommes d'État et de grands chefs militaires, Rome connaît dès les commencements de son histoire un destin qui offre le développement logique d'une situation et d'un système politique : même si Tarquin n'avait pas hâté l'occasion de sa révolution, « elle devait passer de la monarchie à la république ». Les consuls qui succèdent aux rois y érigent la guerre en principe de gouvernement (chapitre I) : aucune nation n'a jamais en effet préparé ni mené la guerre avec tant de prudence et d'audace (chapitre II).

Les conquêtes militaires des Romains ne peuvent s'expliquer que par l'esprit d'égalité et de patriotisme qui animait tous les citoyens (chapitre III). Carthage en revanche, fondant sa puissance sur le commerce et l'opulence, faisait la guerre, quel qu'ait été le génie d'Hannibal, sans constance ni conviction (chapitre IV). Après sa défaite, il ne restait plus qu'aux Romains qu'à combattre les dernières puissances en état de leur résister, la Grèce et les royaumes de Macédoine, de Syrie et d'Égypte (chapitre V). Attaquant toujours les premiers, parlant en maîtres à toutes les nations, accordant le titre d'alliés à tous les voisins des princes dont ils convoitaient le royaume, suscitant partout des divisions, refusant de ratifier tout traité signé par un consul en difficulté, s'attribuant indifféremment les richesses des vaincus ou des alliés, assujettissant progressivement tous les peuples, ils devinrent peu à peu les maîtres du monde (chapitre VI). Seul Mithridate sut leur résister longtemps (chapitre VII).

La conquête de l'univers n'excluait pas les divisions internes, d'abord entre les patriciens et les plébéiens – à qui on accorda la protection des tribuns – puis entre le bas peuple et les principales familles patriciennes ou plébéiennes, appuyées sur le Sénat : ces divergences empêchaient tout abus de pouvoir. Par ailleurs la magistrature des censeurs contribuait à maintenir le gouvernement en sanctionnant de la déchéance les désordres publics ou privés (chapitre VIII).

La perte de Rome est due au développement de l'Empire, qui fit sentir leur force aux généraux, et à la « grandeur de la ville », qui contraignit à donner le titre de citoyen romain aux peuples de tout l'univers : dès lors Rome cessa d'être animée par un amour commun de la liberté et par une même haine de la tyrannie (chapitre IX), tandis que la corruption s'y généralisait (chapitre X). Sylla, malgré son esprit républicain, accoutuma son armée aux rapines, osa entrer dans Rome à la tête d'une armée et inventa les proscriptions. Dès lors toutes les causes étaient réunies pour que la république dût périr et ce fut César qui saisit l'occasion de confisquer le pouvoir (chapitre XI).

Sa mort, exploitée par Antoine, ne pouvait que donner la toute-puissance à un autre « rusé tyran », Octave (chapitre XII), qui, sous le nom d'Auguste, créa un gouvernement purement monarchique, tout en proclamant son attachement à la république. Il établit progressivement l'ordre, c'est-à-dire une servitude durable (chapitre XIII) : la mise en place d'institutions permettant d'exercer un pouvoir absolu préparait la tyrannie de Tibère (chapitre XIV). Dès lors le féroce despotisme des empereurs abattit la puissance civile : chaque armée voulait choisir son empereur (chapitre XV). Sans doute la sagesse de Nerva, la gloire de Trajan, la valeur d'Hadrien, la vertu des deux Antonins furent respectées des soldats, mais quand de nouveaux monstres les remplacèrent, les soldats recrutés non plus en Italie, mais dans les provinces et quelquefois même parmi les barbares, prirent l'habitude d'assassiner des empereurs pris dans leurs rangs. Précédemment maîtresse du monde, « Rome reçut des lois de tout l'univers ». Cette évolution contribua à l'établissement de la religion chrétienne (chapitre XVI).

Si le partage du pouvoir par Dioclétien entre deux empereurs et deux césars parut stabiliser la situation, l'instauration de deux capitales, Rome et Constantinople, acheva de le ruiner et il fut sans forces pour contenir les Huns et les Goths qui descendaient du Nord, les Scythes et les Arabes qui déferlaient de l'Asie (chapitre XVII). Obligés de multiplier les troupes auxiliaires et de recruter des soldats barbares jusque dans les corps de troupes nationales, les Romains adoptaient des règles de conduite diamétralement opposées à celles qui les avaient rendus maîtres du monde. Après avoir vaincu tous les peuples par leurs maximes, ils furent nécessairement conduits à une suite interrompue de revers quand ils changèrent de maximes (chapitre XVIII). Attila, roi des Huns, unifia les barbares et, s'il laissa subsister Rome, la traita en sujet et en tributaire. À sa mort, les invasions successives des barbares disloquèrent l'Empire d'Occident (chapitre XIX).

Justinien, grâce au génie de Bélisaire, réussit une reconquête partielle et temporaire de l'Empire d'Occident, mais sa politique tyranique, maladroite, injuste et surtout intolérante affaiblit l'Empire d'Orient (chapitre XX), bientôt vaincu par les Perses et les Avares (chapitre XXI), puis par les Arabes. Une « bigoterie universelle », aggravée par l'absence de séparation entre le spirituel et le temporel, alimentait les querelles et les schismes. Elle abattit les courages (chapitre XXII). L'invention du feu grégeois sauva longtemps de la conquête l'Empire d'Orient, mais elle n'a pas empêché sa destruction sous les coups des Croisés vénitiens et français, puis des Turcs, alors que, réduit aux faubourgs de Constantinople, il atteignait un état de décomposition indescriptible (chapitre XXIII).

COMMENTAIRE

L'HISTOIRE DE ROME
VUE PAR UN PHILOSOPHE

Une histoire rationnelle

Cette histoire est avant tout **rationnelle**. Grand lecteur de Bossuet, Montesquieu trouve dans le *Discours sur l'histoire universelle* (1681) un modèle d'histoire expliquée, où est ordonné le chaos des ascensions et des chutes connues par chacun des Empires gréco-romains et par l'aventure judéo-chrétienne. Dans cette réflexion sur l'histoire, Bossuet – apologiste inspiré – se fait le champion d'**un déterminisme*** sans nuances, qui voit en Dieu le seul moteur du devenir humain. Montesquieu retient tout ce que son devancier attribuait aux causes naturelles pour expliquer la grandeur et la décadence des empires. Mais il en rejette la philosophie religieuse, c'est-à-dire **l'explication théologique de l'histoire sous la direction de la Providence**. « Il mettra le rationalisme là où l'évêque mettait les intuitions de sa foi » (Joseph Dedieu). Dans l'ascension et la chute de Rome il refuse de voir la manifestation tangible des volontés secrètes de la providence. S'il prête à Dieu un rôle dans la conquête arabe,

c'est par une malice qui rappelle les *Lettres persanes* :
« Dieu permit que sa religion cessât en tout lieu d'être domi-
nante » (chapitre XXII). Mais le destin de Rome ignore
l'action de la providence. C'est l'aboutissement logique et
rationnel d'une situation et d'une organisation politique.
« Il devait arriver de deux choses l'une, constate Montesquieu dès le chapitre I, ou que Rome changerait de gouvernement ou qu'elle resterait une petite et pauvre monarchie
[...] Une nation toujours en guerre, et par principe de gouvernement, devait nécessairement périr, ou venir à bout de
toutes les autres. »

Un déterminisme multicausal

Si Montesquieu croit à un déterminisme, il le rattache au
principe des États, c'est-à-dire à un donné qui n'a rien de
fixe, puisque les hommes ont le pouvoir de le modifier.
Toute sa conception de l'histoire philosophique se dévoile
dans **la leçon de méthodologie** qu'offre une page du chapitre XVIII : « Ce n'est pas la fortune qui domine le monde :
on peut le demander aux Romains, qui eurent une suite
continuelle de prospérités quand ils se gouvernèrent sur un
certain plan et une suite non-ininterrompue de revers lorsqu'ils se conduisirent sur un autre. Il y a des causes générales, soit morales, soit physiques, qui agissent dans
chaque monarchie, l'élèvent, la maintiennent, ou la précipi-
tent ; tous les accidents sont soumis à ces causes ; et, si le
hasard d'une bataille, c'est-à-dire une cause particulière,
a ruiné un État, il y avait une cause générale qui faisait que
cet État devait périr par une seule bataille : en un mot,
l'allure principale entraîne avec elle tous les accidents particuliers. »

Montesquieu réduit au rôle d'effet **les « accidents »**, c'est-
à-dire tous **les événements particuliers**, fortuits en apparence, qu'il oppose à l'allure **« principale »**, c'est-à-dire à la
marche **générale** des choses qui ne provient nullement de
ces « accidents » eux-mêmes, mais des « causes générales »
qui les déterminent. Les phénomènes de l'histoire s'expliquent par des lois, morales ou physiques, aussi strictes que
celles de la nature physique, qui correspondent à des réalités
matérielles et humaines. Aussi Montesquieu considère que la
décadence d'une république est inévitable si elle se trans-

forme en un empire immense : c'est pour lui une nécessité physique. On retrouve là une idée déjà ébauchée dans la lettre persane CXIII (« Indépendamment des causes physiques il y en a de morales ») à propos des problèmes démographiques : Montesquieu l'applique au peuple romain dans les *Considérations* et elle va animer toute la construction de l'*Esprit des lois*.

Mais l'originalité de l'écrivain consiste à présenter l'histoire comme **multicausale**. Son attention aux structures politiques n'empêche nullement Montesquieu de souligner le rôle des causes particulières, par exemple le rôle fondamental des techniques militaires chez les Romains ou l'invention du feu grégeois au profit de l'Empire grec de Constantinople. Mais l'exception ne peut que confirmer la règle : la nature des choses fait que les soldats d'Hannibal, amollis et enrichis par tant de victoires, « auraient trouvé partout Capoue » (chapitre IV). Si une cause particulière a ruiné un État, une cause générale faisait que cet État devait de toutes façons disparaître d'un seul coup. Ce principe méthodologique, observe Jean Ehrard, « implique qu'il y ait proportion entre les effets et les causes ; il exclut les partis pris symétriques et complémentaires du scepticisme et de la crédulité, limite du moins la part de merveilleux ou du romanesque », comme on peut le voir dès le premier chapitre.

Les causes occasionnelles

Quand Montesquieu écrit que « la mort de Lucrèce ne fut que l'occasion de la révolution », il use d'un mot courant dans *La Recherche de la vérité* (1674-1675) où **Malebranche** distingue la seule cause véritable à ses yeux, c'est-à-dire Dieu, et les « causes occasionnelles ». **L'occasionnalisme** de Malebranche correspond à **la vision des causes particulières** chez Montesquieu. Si l'oratorien voulait concilier la raison et la foi, l'historien veut seulement donner à la raison une prise sur l'histoire qui ne saurait se limiter à une mosaïque de faits accidentels non-intelligibles : « Ceci demande qu'on y réfléchisse : sans quoi nous verrions des événements sans les comprendre » (chapitre XIII).

Convaincu que « ce n'est pas la fortune qui domine le monde » (chapitre XVIII), Montesquieu cherche à dévoiler derrière les événements l'enchaînement des causes et des effets dont le caractère nécessaire est passé inaperçu de ceux-là mêmes qui en ont été les acteurs.

Vers un monde post-chrétien

Dans l'analyse menée sur l'histoire de l'Empire d'Occident jusqu'à son écroulement au début du Ve siècle, on ne relève aucune allusion à la naissance, à la vie ou à la mort de Jésus-Christ. Montesquieu refuse toute référence à la chronologie chrétienne et, soucieux de susciter la sympathie en faveur de Rome, gomme toute existence de l'Histoire « sacrée », néglige les circonstances qui ont permis l'enracinement du christianisme, oppose le règne tyrannique de l'empereur chrétien Justinien à l'antique esprit romain de Bélisaire et explique la fin de l'Empire grec par la « bigoterie universelle » et la superstition.

Rendant impossible la résurgence d'un système ressemblant au républicanisme romain, le christianisme apparaît à la base de toutes les imperfections des régimes politiques modernes. Il entraîne de féroces guerres d'extermination entre chrétiens. De plus, préconisant une obéissance excessive à l'Église et au monarque, il permet le maintien de l'esclavage et favorise le despotisme. Les derniers chapitres des *Considérations* font ressortir l'antagonisme entre la puissance de la république romaine et la puissance chrétienne. La leçon du chapitre XVIII – le dépérissement inéluctable de toutes les monarchies – n'exclut pas la papauté dans son réquisitoire : elle implique la disparition de toutes les ramifications catholiques de l'Empire romain. Tourné vers un passé dont la grandeur était réelle et « porté par l'assurance que l'influence du christianisme doit décliner » (David Lowenthal), l'ouvrage de Montesquieu, écrit à une époque où les Lumières se développent, contribue au déclin de l'Église, et cela au nom d'un régime qui sera fondé sur une forme nouvelle de l'amour-propre et sur une partition des pouvoirs.

Les modifications intervenues aux XVIe et XVIIe siècles pouvaient garantir à Montesquieu l'existence des conditions générales nécessaires à l'instauration d'un monde post-chrétien, dont la nature exacte n'apparaît pas pourtant aussi clairement à l'auteur des *Considérations* que celle des mondes romain et chrétien.

LE TRAVAIL DE L'HISTORIEN

La recherche des sources

La volonté d'expliquer l'histoire, qui apparaît dès le titre de l'œuvre, a conduit Montesquieu à de très vastes lectures. S'il a pu bénéficier des rapides indications données par Bossuet, dans son *Discours sur l'histoire universelle*, sur les causes de la grandeur romaine, il marche seul quand il aborde la décadence de Rome, les guerres civiles ou les guerres lointaines où s'effondre le patriotisme des soldats, jusqu'à la destruction de l'Empire d'Occident par les invasions barbares et la lente agonie de l'Empire d'Orient.

Son ouvrage atteste d'une énorme érudition. Montesquieu a tout dépouillé, depuis les grands classiques – Tite Live et Tacite qu'il admire sans réserve – jusqu'aux auteurs du Bas-Empire et de l'époque barbare, comme Procope, Zozime ou Paul Diacre. Et s'il a lu les principaux auteurs dans leur traduction française, il est certain qu'il a recouru directement au texte original. Pourtant il accepte les dires des historiens anciens sans toujours contrôler leur assertion et s'inquiéter de leurs contradictions. Quatre ans après les *Considérations* paraît la *Dissertation* (1738) de l'érudit hollandais Henri de Beaufort sur les incertitudes de l'histoire romaine : Montesquieu, qui n'a pu la lire, ne partage pas le scepticisme de Beaufort sur la succession des sept rois de Rome et il raisonne sur Romulus et Numa comme sur César ou Pompée. Respectueux des écrivains grecs ou latins, cherchant toujours à étayer ses analyses d'une autorité sérieuse qu'il va chercher chez Denys d'Halicarnasse, Végèce, Appien ou Ammien Marcelin, Montesquieu ignore les travaux que mènent certains de ses contemporains et se fie à son esprit critique de philosophe rationaliste.

La recherche des structures

En fait la tâche de l'auteur, dans les *Considérations*, commence à l'**interprétation des textes**. Les tenant pour authentiques et établis, Montesquieu s'efforce d'en définir le sens et d'en marquer les conséquences. Avec lui l'histoire cesse d'être purement narrative ou événementielle, épique ou tragique. Elle devient une analyse en profondeur des structures politiques, économiques, sociales et morales, où l'articulation des « causes générales » et des « causes particulières » revêt plus d'importance que l'affrontement des grands hommes : « Si César et Pompée avaient pensé comme Caton, d'autres auraient pensé comme César et Pompée » (chapitre XI). Sa conception de l'histoire est donc **structurale**.

LA PRÉSENCE DE MONTESQUIEU

L'histoire et l'actualité

Le véritable usage des *Considérations* réside dans **une méditation,** à propos de l'histoire de Rome et de ses maximes politiques, sur la philosophie de l'histoire et sur le meilleur type de gouvernement. Mais le choix de Rome n'est pas gratuit et explique le ton passionné qu'adopte parfois Montesquieu : « Parmi tant de malheurs, on cherche avec une curiosité triste le destin de la ville de Rome » (chapitre XIX). On croirait que l'auteur défend une cause, celle de la liberté disparue, et personnalise son étude au point même d'abréger à l'occasion un développement : « Je n'ai pas le courage de parler des misères qui suivirent » (chapitre XXIII). De telles formules, constate Jean Ehrard, « prouvent que son sujet n'est pas pour Montesquieu une matière morte. Si l'on peut parler à son propos de résurrection du passé, ce n'est pas qu'il obéisse à une sorte de divination romantique, mais parce que ce passé lointain lui apparaît très proche du présent le plus actuel ».

Montesquieu sait parfaitement que « la prestigieuse fortune des Romains » ne peut être transposée dans l'Europe du XVIIIe siècle. Mais il décèle d'une civilisation à l'autre, par-delà les distances dans l'espace et dans le temps, un certain nombre de **constantes** qui imposent leurs lois aux variations apparemment incohérentes de la chronologie : « Comme les hommes ont eu dans tous les temps les mêmes passions, les occasions qui produisent les grands changements sont différentes, mais les causes sont toujours les mêmes » (chapitre I). L'histoire n'est donc qu'un éternel recommencement. C'est pourquoi Montesquieu ne craint pas l'anachronisme, rapprochant Henri IV et Servius Tullius, Pierre le Grand et Régulus, les assignats de Law et les trésors des Ptolémée, les défaites militaires du Danemark et le changement de gouvernement à Rome.

Le sens du livre

Rome a eu longtemps pour elle d'être bien gouvernée et la vertu* romaine faisait partie d'un système de gouvernement. Mais ce système n'est-il pas justement celui qui possède toutes les sympathies de Montesquieu, c'est-à-dire un régime de liberté modérée contrôlée et maintenue grâce à l'équilibre de pouvoirs bien ajustés ? Il faut lire les *Considérations*, de même que les *Lettres persanes* dès 1721, comme une dénonciation du despotisme menaçant. Leur auteur s'interroge sur le processus irrésistible d'extension de l'autorité royale en France conduisant à un totalitarisme de l'État. Ce phénomène antinaturel, l'historien le retrouve dans l'ordre monolithique instauré à Rome par Auguste, où il voit « une servitude brutale », contenant en elle tous les aspects de la tyrannie atroce instaurée par Tibère.

La réflexion menée par Montesquieu sur les conditions concrètes de la liberté et sur le pluralisme politique montre que le déclin de Rome commence avec la confiscation du pouvoir par César. Cette analyse montre à quel point l'histoire doit se ressourcer dans l'actualité, si on sait y déceler les constantes de la nature humaine. Et on comprend mieux l'enthousiasme réfléchi et la volonté ardente qui, dans cet essai hardi et neuf, animent Montesquieu à célébrer ses Romains.

LES LIVRES DE RAISON

INTRODUCTION

Manuscrits et paginés avec des renvois d'un volume à l'autre, les trois gros cahiers *in quarto* intitulés *Mes Pensées*, sur lesquels Montesquieu a constamment consigné ses réflexions personnelles, ont été écrits le premier de 1720 à 1734, le second entre 1734 et 1748 et le troisième de 1748 à la mort de l'écrivain. Ce sont des carnets de notes et des mémentos où Montesquieu collectionnait les matériaux de ses œuvres à venir : anecdotes, lectures, commentaires, propos de conversation, observations. À plusieurs reprises l'auteur renvoie à d'autres recueils, comme ses *Anatomica*, *Politica*, *Juridica* et *Geographica*, aujourd'hui perdus à l'exception du tome II des *Geographica*.

Parallèlement aux *Pensées*, Montesquieu avait pris l'habitude de résumer ses lectures et de les escorter de réflexions personnelles. Il y renvoie dans ses œuvres et notamment dans l'*Esprit des lois*. Seul parmi ces cahiers de notes, le second volume des *Geographica* est parvenu jusqu'à nous. Correspondant aux périodes 1734-1738 et 1742-1743, ce volume, principalement consacré à des récits de voyages en Orient et en Extrême-Orient, fait ressortir le minutieux effort d'analyse mené par l'écrivain sur chaque livre qu'il étudie. Une fois ce travail terminé, Montesquieu y ajoute quelques notes personnelles. On retrouve souvent ces commentaires insérés dans l'*Esprit des lois*, mais selon une démarche inverse : les constats y sont généralement présentés avant les exemples géographiques qui avaient conduit à les formuler. On discerne ainsi la méthode de Montesquieu et son souci de démontrer en les illustrant les principes qu'il s'efforce d'établir.

Entrepris en 1718, le *Spicilège* se rapproche des *Pensées*, mais constitue un outil de travail aux spécificités différentes. Les cent cinquante-cinq premières pages de l'édition procurée par Louis Desgraves constituent la compilation d'un recueil que le père Desmolets prête à Montesquieu. L'écrivain le poursuit en réunissant des extraits de presse manuscrits ou découpés dans des périodiques anglais et hollandais, accompagnés de commentaires qui expliquent l'intérêt des passages retenus. Il y insère également des comptes rendus de conversations et des résumés de lectures. Le *Spicilège* reste à portée de sa main quand il travaille aux *Lettres persanes*, aux *Considérations* ou à l'*Esprit des lois*. Un de ses intérêts majeurs, observe Louis Desgraves, « est d'aider à préciser non seulement certaines des sources de Montesquieu, mais aussi l'époque où s'inscrit dans la pensée le germe des développements futurs ».

Mes pensées

DESCRIPTIF

Le premier éditeur des *Pensées* (Barckhausen, 1899-1901) a bouleversé l'ordre chronologique des cahiers pour adopter un classement par matières et par thèmes, encore repris par l'édition complète de Roger Caillois dans la « Bibliothèque de la Pléiade ». Il a fallu attendre Louis Desgraves (Nagel, 1950, et Bouquins, 1991) pour retrouver l'ordre du manuscrit et l'évolution de la pensée de Montesquieu. Mais le classement thématique permet un descriptif rapide de ce journal.

On y rencontre d'abord Montesquieu peint par lui-même : c'est le portrait à la fois d'un homme heureux qui s'« éveille le matin avec une joie secrète », d'un homme raisonnable qui constamment réussit à s'accommoder de l'existence, et d'un intellectuel découvrant la sérénité dans les travaux de l'esprit. Moraliste, l'écrivain excelle dans de brèves maximes perspicaces, mais exemptes de pessimisme, sur le bonheur, la jalousie, l'amour-propre, les biens de fortune, l'esprit, les femmes, la dévotion et les religieux. Sociologue et historien de la civilisation, Montesquieu entame l'analyse de nombreux ouvrages anciens et modernes. La chose publique inspire un grand nombre de réflexions sur la liberté politique, les princes, leurs ministres, les diverses espèces de gouvernement, les principes de législation, le commerce, les finances ou les biens de l'Église. On découvre encore des fragments d'histoire, portant notamment sur l'histoire de France et l'histoire d'Angleterre, des considérations sur le caractère des nations, sur les diverses croyances religieuses (judaïsme, christianisme, mahométisme) et sur les sciences. Enfin maintes formules insérées dans les *Pensées* constituent des ébauches rédigées par l'écrivain pour ses ouvrages successifs et des notes prises après leur publication, ainsi que des « morceaux » qui n'ont pu entrer dans le *Traité des devoirs* et des pages de *Journal*.

COMMENTAIRE

Montesquieu par lui-même

Fondé sur la raison, la lucidité et la justice, tel nous apparaît, selon la formule de Bernard Grasset, éditeur en 1941 d'extraits des *Pensées* sous le titre de *Cahiers*, « le mécanisme intérieur d'un homme qui a su vivre sans rien perdre de ses dons, tout en se refusant à leur rien sacrifier de son bonheur ». Rien n'empêche Montesquieu de goûter la vie et d'en cultiver les plaisirs, à commencer par le seul sentiment d'exister. Tout découle chez lui d'une découverte psychologique : l'homme est heureux naturellement. La raison dispose donc l'écrivain à tirer le meilleur parti de la situation qui lui est faite : « Cherchons à nous accommoder à cette vie ; ce n'est point à cette vie à s'accommoder à nous. » Que survienne la cécité, il est capable d'y adapter son existence. Les joies les plus hautes sont celles que se donne l'esprit dans la solitude et le recueillement. « L'étude a été pour moi le souverain remède contre les dégoûts de la vie, n'ayant jamais eu de chagrin qu'une heure de lecture ne m'ait ôté. » Les plaisirs constituent la récompense d'une activité de l'esprit. À l'idée pascalienne que l'homme est malheureux parce qu'il a des inquiétudes métaphysiques, Montesquieu répond que l'homme peut avoir les sentiments qu'il veut : « Quand j'ai été dans le monde, je l'ai aimé comme si je ne pouvais souffrir la retraite. Quand j'ai été dans mes terres, je n'ai plus songé au monde. »

Soucieux avant tout de demeurer libre, Montesquieu compte sur la raison pour ne pas laisser l'âme dépendante d'une passion qui la rendrait malheureuse : il est appréciable d'aimer, mais non d'être enchaîné par l'amour. Il faut y multiplier les plaisirs, les varier, ce qui protège de la société : en cela l'amour et la vertu – gages de variété dans la réciprocité – sont bien supérieures à la monotonie de la débauche. L'art de vivre n'implique-t-il pas aussi que l'on s'abandonne parfois à la sensibilité ? « Je n'ai jamais vu couler de larmes sans en être attendri. » Grâce à son goût des plaisirs équilibrés Montesquieu découvre le but de la vie dans la recherche de la vérité, mais en évitant toute démesure. Cette unique passion le conduit à proscrire les préjugés et surtout les préjugés patriotiques, qui sont les plus difficiles à déraciner. Nul mieux que lui ne sait accepter le réel, c'est-à-dire découvrir ce qu'il y a de positif dans le monde qui l'entoure. Animé du désir de préparer l'avenir et de tendre au bien commun, il rappelle qu'il faut lutter coude à coude avec les autres hommes, cette nécessaire solidarité excluant la vanité. Sa générosité le conduit vers un altruisme universaliste. Annonçant le cosmopolitisme et le côté « citoyen du monde » de son siècle, éclairé par l'idée de justice, il aboutit à dégager l'esprit de ce qu'on appelle dans le droit actuel le « crime contre l'humanité ».

La sévérité de Montesquieu contre toutes les formes de corruption l'entraîne à un jugement cruel sur la dévotion prise dans un sens dépréciatif, car il y voit une dégradation de la religion : « La dévotion trouve pour faire une mauvaise action des raisons qu'un simple honnête homme ne saurait trouver. » Si personnellement il s'attache au dogme chrétien, c'est pour la morale qui en découle, ce qui prouve non sa foi, mais sa confiance dans l'effort spirituel lié à une adhésion religieuse profonde. Son anticléricalisme explique son déisme* (il est bon d'espérer l'existence de Dieu parce que la croyance à cette existence contribue à l'ordre social) et le point de vue qu'il adopte pour étudier la religion (c'est pour lui avant tout un fait sociologique) : la religion est une institution au même titre que les institutions laïques, et non celle qui les fonde ; son pouvoir ne peut glisser dans le domaine civil.

L'art d'écrire

Le philosophe doit rechercher partout la vérité. Les querelles littéraires relevant des préjugés, il convient d'en tirer enseignement et de refuser les masques. Montesquieu lit les grands auteurs et laisse aux engouements du public les modes novelles : « Les livres anciens sont pour les auteurs ; les nouveaux pour les lecteurs. » Admirant Homère, Shakespeare et Fénelon, il leur décerne un témoignage d'excellence. Il sait aussi juger cruellement les ouvrages médiocres ou décocher à Voltaire des flèches acérées, comparant ses ouvrages à « des visages mal proportionnés qui brillent de jeunesse », ou lui reprochant d'écrire « pour son couvent ». Des écrivains il passe à l'esthétique littéraire et constate ironiquement, près de deux siècles avant André Gide, que le critère de moralité n'a aucune valeur pour juger la qualité d'une œuvre d'art.

Montesquieu en vient tout naturellement à exposer ses idées sur l'art d'écrire. En auteur de bonne compagnie, soucieux de ne pas lasser, il préconise un dosage des effets, et met en garde contre l'usage abusif de l'ironie – qui ôte toute surprise –, recommande l'emploi d'épithètes qui colorent la pensée, ou conseille l'emploi des raccourcis indispensables pour maintenir l'attention tout en mettant en garde contre tout excès qui entraînerait l'incompréhension du lecteur : « Pour bien écrire, il faut sauter les idées intermédiaires, assez pour n'être pas ennuyeux ; pas trop, de peur de n'être pas entendu. » Cette constante **lucidité** et ce **refus du pédantisme**, que Montesquieu partage avec Voltaire, aussi soucieux que lui de renouveler constamment l'intérêt, conduisent l'écrivain à se résigner quand il rencontre des sots : « Rien ne m'amuse davantage que de voir un conteur ennuyeux faire une histoire circonstanciée, sans quartier : je ne suis pas attentif à l'histoire, mais à la manière de la faire. »

Un vivier et un laboratoire

Mes Pensées offrent un recueil de notes où Montesquieu collectionne pour lui-même jour après jour des réflexions susceptibles de lui servir pour ses ouvrages en gestation. Ne définit-il pas d'emblée leur contenu : « Ce sont des idées que je n'ai point approfondies et que je garde pour y penser à l'occasion. Je me garderai de répondre de toutes les pensées qui sont ici. Je n'ai mis là la plupart que parce que j'ai pas eu le temps de les réfléchir et j'y penserai quand j'en ferai usage » ?

Montesquieu réserve ses notes comme un vivier où il puisera à mesure que progressent ses travaux. Des annotations originales renvoient aux *Considérations* ou à l'*Esprit des lois* : souvent revient la mention « Mis dans les *Lois* », inscrite avant même l'achèvement du grand ouvrage de Montesquieu.

Bien des « *Pensées* » servent aussi d'ébauche à des idées développées dans l'*Esprit des lois*. La notion d'« esprit général », considérée comme fondamentale par Hegel et les sociologues, apparaît en 1731 dans la pensée 542, est plus nettement formulée en 1734 au chapitre XXII des *Considérations*, puis précisée en 1738 dans la pensée 854 et trouve sa forme définitive dans le livre XIX de l'*Esprit des lois*. On assiste souvent ainsi, à la lecture des *Pensées* à la naissance d'une idée, à son évolution, puis à son aboutissement dans l'*Esprit des lois*. Le recueil offre donc un point de départ à partir duquel l'écrivain élabore sa pensée et applique étroitement ses exemples aux exigences de sa démonstration.

La mémoire d'œuvres ébauchées ou perdues

Les *Pensées* renferment des fragments d'œuvres ébauchées et abandonnées. Ainsi la pensée 1111 et la pensée 1183 font allusion au projet longtemps caressé par Montesquieu d'écrire une « Histoire de France » et la pensée 1642 s'intitule « Petite Préface pour l'histoire de France ». Il semble que Montesquieu, n'ayant pas découvert le fil conducteur lui permettant de structurer l'histoire de France comme il avait structuré l'histoire romaine, renonce à son projet et, après avoir conservé dans la longue pensée 1302 les passages qui avaient à ses yeux le plus de valeur, ait détruit le reste de son œuvre. On découvre aussi dans les *Pensées* des fragments d'une « Histoire de la Jalousie », une « Préface pour une Histoire de la Compagnie de Jésus », un extrait d'une « Histoire du ciel » ou divers passages de la « Dissertation sur la différence des génies » qui n'ont été que très partiellement intégrés dans l'« Essai sur les causes qui peuvent affecter les esprits et les caractères ». Toutes ces constatations confirment que les *Pensées* constituent une sorte de mémento répondant au souci constant chez Montesquieu de ne rien laisser perdre de ses idées sur les sujets les plus divers et de pouvoir au besoin les utiliser dans la rédaction de ses ouvrages.

LE SOCIOLOGUE ET L'HUMANISTE

De l'Esprit des lois (1748)

GENÈSE

La somme d'une existence

Dès 1716, Montesquieu donne lecture à l'Académie de Bordeaux de sa *Dissertation sur la politique des Romains dans la religion*, qui marque une première étape sur la route des *Considérations* et de l'*Esprit des lois*. Annonçant une idée commune aux philosophes du XVIIIᵉ siècle, il voit dans la religion un instrument dont se servent les tyrans ou les gens instruits pour asservir le peuple : « Les Romains n'eurent d'abord qu'une vue générale, qui était d'inspirer à un peuple, qui ne craignait rien, la crainte des dieux et de se servir de cette crainte pour le conduire à leur fantaisie. » On a vu que les *Lettres persanes* offrent en 1721 une analyse de la France et de son évolution. L'ingénuité des deux Persans donne un tour acceptable à leurs observations politiques, religieuses, sociologiques et philosophiques, qui dessinent en filigrane l'esquisse d'un monde moderne où un gouvernement modéré protègerait la liberté, la tolérance, le travail et le commerce. Peu de mois après, sa passion pour Rome et son goût pour la politique poussent l'écrivain à étudier en 1724 dans le *Dialogue de Sylla et d'Eucrate* le cas d'un dictateur lassé du pouvoir, mais aussi les moyens de prendre le pouvoir. Sous forme de questions et de réponses, Eucrate relate l'entretien au cours duquel Sylla lui dévoile les mystères de sa politique et la profondeur de son machiavélisme : Montesquieu pose ainsi le dangereux mythe du surhomme qui exercera une forte impression sur Napoléon.

La même année, les *Considérations sur les richesses de l'Espagne* cherchent les facteurs de la prospérité des nations et les découvrent, non dans les mines d'or, mais dans le travail et le commerce. Rédigées en 1727, les *Réflexions sur la monarchie universelle* reprennent les attaques des *Lettres persanes* contre la dérive de la monarchie vers le despotisme sous Louis XIV et soutiennent la nécessité de mettre en place un droit international. Après avoir, dans les *Considérations*, présenté Rome comme le prototype de toute société en dégageant les lois de son évolution, Montesquieu entreprend vers 1736 un « Essai sur les causes qui peuvent affecter les esprits et les caractères ». Il y étudie l'action du climat sur le tempérament des peuples, traitant des causes physiques qui influencent les sociétés et des causes morales qui façonnent les caractères. L'écrivain emprunte à cet essai la substance du livre XIV de l'*Esprit des lois* où il expose sa théorie du climat, et s'en inspire dans le livre XIX consacré à l'esprit général d'une nation.

Si l'on rapproche de toutes ces œuvres les *Pensées*, le *Spicilège*, les *Geographica, Anatomica, Juridica, Politica* et les notes prises par Montesquieu durant ses voyages – n'a-t-il pas fréquenté les quais d'Amsterdam pour étudier l'activité du port ou analysé dans le bassin du Harz les conditions de travail et la situation sociale des mineurs ? – on comprend que l'*Esprit des lois* rassemble le fruit des méditations de toute une existence.

Les étapes de la rédaction

Toute sa vie antérieure poussait Montesquieu vers l'*Esprit des lois*, véritable somme de sa pratique de jurisconsulte, de ses voyages, de sa vaste culture, et d'une pensée constamment aux aguets. La précision fournie par la « Préface » (« un travail de vingt années ») paraît donc bien modeste. C'est pourtant seulement en 1734 ou 1735 que l'écrivain, même s'il a découvert ses « principes » quelques années auparavant et commencé à rassembler une documentation, entame la rédaction de son grand ouvrage, dont il soulignera souvent « l'immensité ».

Fondé sur l'analyse des écritures des dix-neuf divers secrétaires auxquels Montesquieu, menacé, puis atteint par la cécité, a dû recourir, l'étude chronologique de l'*Esprit des lois* permet de distinguer quatre étapes : des fragments antérieurs à 1740, un texte de base rédigé de 1740 à 1743, une première révision à partir de 1743, une seconde révision minutieuse achevée à la fin de 1746. Durant l'impression de l'ouvrage l'écrivain ajoute successivement trois livres historiques – les livres XXVIII, XXX et XXXI –, introduit des variantes, multiplie les ratures, et corrige même en quatorze endroits le texte déjà imprimé.

La publication intervient à Genève en octobre 1748, sans nom d'auteur et sous le titre *De L'Esprit des lois, ou du rapport que les lois doivent avoir avec la Constitution de chaque gouvernement, les mœurs, le climat, la religion, le commerce, etc., à quoi l'auteur a ajouté des recherches nouvelles sur les Lois romaines touchant les successions, sur les Lois françaises et sur les Lois féodales.* L'œuvre connaît un grand succès de librairie : en janvier 1750, Montesquieu, qui rédige une *Défense de l'*Esprit des lois pour répondre aux attaques des Jansénistes et des Jésuites, peut écrire avec fierté au duc de Nivernais. « Il y a vingt-deux éditions de mon ouvrage répandues dans toute l'Europe. »

DESCRIPTIF

Préface. Vingt années de travail ont été nécessaires pour un ouvrage qui se propose de découvrir les principes généraux rendant intelligible toute l'histoire humaine. L'auteur est ébloui par la majesté d'un sujet qui permet d'« éclairer » le peuple, de développer la sagesse et de guérir les préjugés.

Livre I. Un prologue philosophique délimite le sujet à partir d'une définition générale de la loi « rapport invariable et nécessaire entre les choses ». Il étudie successivement les lois des divers êtres, les lois de nature ou du droit naturel et les lois positives. Une fois écartées les lois divines et les lois physiques, la recherche s'oriente sur l'esprit des lois humaines, constitué par l'ensemble des rapports entre d'une part les lois positives et rationnelles et d'autre part les facteurs politiques, physiques et moraux.

Livres II à VIII. La définition des facteurs politiques conduit à une typologie des gouvernements où la « nature » d'un État (républicain, monarchique, despotique) qui génère les lois fondamentales, c'est-à-dire la constitution, est mise en relation étroite avec son « principe » ou « ressort » (vertu, honneur, crainte) qui lui confère un fondement psychologique (livres II et III). L'analyse des rapports entre les lois et les facteurs politiques conduit à faire ressortir l'influence de chaque régime sur l'éducation (livre IV) – ce qui assure la continuité d'un État, c'est la formation morale des citoyens – sur le droit privé qui régit tous les modes d'acquisition, de conservation et de transmission des richesses (livre V), sur la justice, c'est-à-dire la procédure et les lois pénales (livre VI) et sur les lois somptuaires, auxquelles se rattachent les mœurs des femmes, leur capacité morale et politique (livre VII). Conclusion de l'étude sur la dynamique des systèmes politiques, le livre VIII étudie les causes de la corruption de chaque régime, expliquant la décadence par la dégradation du principe fondateur et la modification de l'étendue territoriale appropriée à chaque système ; il constate que la dégradation des divers gouvernements mène toujours au despotisme.

Livres IX à XIII. Des considérations sur les relations entre les principes des trois gouvernements et le maintien de la paix (livre IX), puis sur la façon de mener une guerre de conquête et de traiter les pays vaincus (livre X) poursuivent l'étude des conséquences qui découlent des principes des trois gouvernements et montrent que la sécurité des États est liée à la sécurité des citoyens. La liberté politique est envisagée successivement dans ses relations avec la tripartition des pouvoirs, illustrée par l'exemple de l'Angleterre (livre XI), avec la « sûreté » du citoyen et sa protection contre une accusation criminelle (livre XII), puis avec la protection du contribuable contre les exigences du fisc (livre XIII).

Livres XIV à XIX. Une étude générale du rôle du climat entame l'analyse des rapports entre les lois et les facteurs physiques. S'exerçant aussi bien sur les sociétés humaines que sur le tempérament des individus – qui varie selon qu'ils vivent au Nord ou au midi –, le climat joue un rôle important pour la formation de l'« esprit général » d'une nation et se reflète dans ses lois (livre XIV). Il explique la servitude civile, c'est-à-dire l'esclavage sous toutes ses formes (livre XV), la servitude domestique – celle de la femme – et la polygamie (livre XVI), ainsi que la servitude politique des nations subjuguées par un empire (livre XVII). Parmi les facteurs géographiques qui influent sur les institutions des peuples, on relève la nature du terrain et le mode de vie des peuples (livre XVIII). Toute société dépend donc d'un ensemble de causalités, pures ou métissées, qui contribuent à former son « esprit général ». La législation doit s'adapter attentivement à cet « esprit général » (livre XIX).

Livres XX à XXIII. Les multiples composantes de l'« esprit général » d'une nation offrent des perspectives nouvelles : l'examen des rapports entre les lois et le commerce international (livres XX et XXI), la monnaie, le change, les dettes publiques ou le prêt à intérêt (livre XXII), les facteurs démographiques (livre XXIII) constitue un véritable traité d'économie politique.

Livres XXIV à XXVI. La vérité révélée du christianisme n'exclut nullement la vérité sociologique des religions : le phénomène religieux est un fait de dimension humaine et représente un facteur important de l'« esprit général » (livre XXIV). Les multiples abus ou erreurs de l'Église en tant que puissance spirituelle ou temporelle conduisent à penser que toute religion doit refuser la terreur ou les empiètements du droit canonique sur le droit civil et illustrent à quel point la confusion entre les lois divines, les lois naturelles et les lois positives entraîne des tensions sociales (livre XXVI).

Livres XXVII à XXXI. Intitulé « De la manière de composer les lois », le livre XXIX apparaît comme la conclusion de l'*Esprit des lois* : il souligne la nécessité de tendre au bien politique (qui, comme le bien moral, se trouve toujours entre deux maux) dans l'élaboration des lois. Ce bien politique, défini par la « modération », exclut toute rédaction des lois dans la passion ou en contradiction avec la nature des choses.

Deux appendices sont rassemblés à la fin du livre. L'un, destiné aux juristes, commente l'évolution des lois romaines en matière de succession (livre XXVII) et la suprématie des traditions franques dans le droit féodal (livre XXVIII). L'autre, esquissant une Europe moderne juridique, étudie les lois féodales chez les Francs dans leurs rapports avec l'établissement puis dans les révolutions de leur monarchie : à la coupure traditionnelle entre l'Antiquité, le Moyen Âge et les Temps modernes, il substitue l'idée d'une évolution progressive (livres XXX et XXXI).

LA MÉTHODE DE MONTESQUIEU

Une méthode scientifique

Certaines affirmations de Montesquieu relevés dans la « Préface » de l'*Esprit des lois* (« Quand j'ai trouvé les principes, tout ce que je cherchais est venu à moi ») ont parfois servi injustement à soupçonner l'écrivain d'esprit de système : les principes auraient pour lui plus d'importance que les faits. En réalité ces formules s'éclairent quand on les rapproche de l'immensité des recherches et des lectures qu'a nécessité l'enfantement de l'*Esprit des lois*, traversé par des périodes de découragement, de tâtonnements et de doute. Puis du chaos des choses étudiées se sont dégagées de lumineuses et fortes synthèses.

La méthode de Montesquieu est une méthode scientifique : après des recherches très étendues dans le temps, il se demande quelles conclusions il peut légitimement induire et vérifie ceux de ses principes qui lui semblent probables en les confrontant à de nouvelles recherches : s'il a bien raisonné, ses hypothèses se plient à ses principes. La documentation historique de l'écrivain lui offre un vaste champ d'investigation où « répéter précisément le mode d'action de causes historiques données et aller chercher des hypothèses d'explication et des suggestions de construction » (Georges Davy). Montesquieu emprunte aussi à son expérience des voyages bien des traits des coutumes et des mentalités pris sur le vif, qui enrichissent ou modifient sa rédaction primitive et l'amènent à concevoir son traité de jurisprudence à la manière d'un ethnographe et d'un naturaliste. Et la théorie des climats montre que pour lui toute connaissance repose sur l'expérience.

Une analyse globale de la société.

On voit donc que la méthode de l'écrivain est celle d'un moraliste à formation scientifique, analogue à celle de Pascal observant le divertissement, fondant son hypothèse et tirant des conclusions. Montesquieu croit au principe de la rationalité du monde : philosophe de son temps, il s'efforce de découvrir l'essence derrière les apparences, avec la conviction que les hommes, au-delà de leurs volontés passagères, dépendent d'une raison profonde sinon toujours raisonnable, du moins toujours rationnelle. La relativité des lois apparaît donc comme une nécessité complexe. Mais le dessein de l'œuvre est un : ce sont les cas particuliers qui se plient aux principes, principes à valeur universelle et permettant d'expliquer toute l'histoire humaine jusque dans son détail.

Montesquieu ne vise pas en effet à faire changer le monde, mais à le faire comprendre et il est le premier à concevoir que tous les éléments du corps politique (climat, mœurs, économie, lois) agissent les uns sur les autres selon une logique rigoureuse. Les fondateurs de la sociologie, Auguste Comte et Durkheim, lui reconnaissent le grand mérite d'avoir mis en valeur le déterminisme causal dans les phénomènes historiques et sociaux. Renversant les dogmatismes en matière de sciences politiques, Montesquieu observe tous les peuples réels qui se sont succédé à travers l'histoire et, à partir de cette observation positiviste, s'efforce de concevoir globalement la société. Il découvre que les phénomènes sociaux (droit, religion, commerce, morale) traduisent la vie d'une société et constituent les éléments du même organisme. C'est pourquoi Hegel, dans son introduction aux *Principes de la philosophie du droit*, lui rend hommage d'avoir découvert et mis en œuvre la catégorie de « totalité ». En rapprochant des causes qui semblaient diverses, en découvrant entre elles des interactions nouvelles, Montesquieu apporte aux lois **une unité**, spectacle éblouissant pour un savant et qui explique l'accent triomphal de sa « Préface » : « J'ai posé les principes et j'ai vu les cas particuliers s'y plier comme d'eux-mêmes, les histoires de toutes les nations n'en être que les suites et chaque loi particulière liée avec une autre loi, ou dépendre d'un autre plus générale. »

UNE CONCEPTION NOUVELLE DE LA LOI

Une sociologie juridique à visée scientifique

Premier ouvrage de sociologie juridique, l'*Esprit des lois* montre d'emblée que les lois ne dépendent ni uniquement ni principalement de la volonté des législateurs. Le livre I propose une définition qui renverse la conception traditionnelle des lois :

« Les lois, dans la signification la plus étendue, sont les rapports nécessaires qui dérivent de la nature des choses » (I, 1), puis précise que l'esprit des lois « consiste dans les divers rapports que les lois peuvent avoir avec diverses choses ».

La loi correspondait auparavant à un commandement et exigeait l'obéissance à but religieux, moral ou politique. Partant d'une méthode scientifique expérimentale, Montesquieu donne à la loi **le sens d'une relation constante** entre des phénomènes variables. Il soumet tout l'univers à un ordre régulier, donc intelligible, fondé sur le modèle de la physique newtonienne et il consacre le règne de la « loi-rapport » à tous les ordres du cosmos. L'influence de Galilée et de Newton est patente dans cette fondation de la science politique positive qui soumet tous les phénomènes, même non mesurables, à un rigoureux déterminisme : Montesquieu donne aux lois la rigueur de rapports objectifs au lieu d'écrire, à la manière d'un casuiste du droit, un recueil de prescriptions.

On comprend mieux dès lors que les docteurs de la Sorbonne et les théologiens aient crié au scandale, d'autant que Montesquieu prolonge sa définition initiale en supprimant tous les interdits : « Dans ce sens tous les êtres ont leurs lois, la divinité a ses lois [...], les bêtes ont leurs lois, l'homme a ses lois. » Dieu est donc placé sur le même plan que les autres « êtres » et considéré comme un des termes des « rapports », même s'il a créé le monde et représente par là-même la raison primitive. Auteur des lois, Dieu est enchaîné par ses propres lois et obligé de s'y conformer : en créant les êtres il est gagné par la contagion de la loi.

Montesquieu gomme toute intervention de la Providence pour souligner le caractère inexorable des lois de la matière, une fois qu'elles sont établies par la sagesse divine. Cette « révolution théorique » (Louis Althusser) suppose la possibilité d'appliquer à la politique et à l'histoire une conception newtonienne de la loi. Dans sa *Défense de l'*Esprit des lois, Montesquieu ne dit-il pas de lui-même que l'auteur « ne parle point des causes, et il ne compare pas les causes ; mais il parle des effets et il compare les effets » (I, 1).

La distinction entre les lois et leur objet

L'affirmation de l'omnipotence de la loi suppose également que l'on évite toute confusion entre l'objet des recherches scientifiques (c'est-à-dire dans l'*Esprit des lois* les lois civiles et politiques des sociétés humaines) et les résultats de ces recherches. Quand Montesquieu étudie les lois des Romains et des Francs, il ne prétend évidemment pas que ce sont des lois scientifiques : il y voit des institutions juridiques dont il étudie scientifiquement comment elles se constituent et comment elles se transforment. Il distingue clairement l'objet de ses investigations en faisant la part entre les lois et leur esprit : « Je ne traite point des lois, mais de l'esprit des lois [...] Cet esprit consiste dans les différents rapports que les lois peuvent avoir avec diverses choses » (I, 1). L'« esprit » des lois constitue donc « la loi de toutes les lois ». C'est encore une loi, faite pour faire comprendre aux hommes les ordres de la Raison, c'est-à-dire la raison d'être des lois positives.

Quand Montesquieu écrit que « la loi, en général, est la raison humaine en tant qu'elle gouverne tous les peuples de la terre » (I, 1), paraissant paradoxalement oublier son refus de juger ce qui existe à partir de ce qui devrait exister, il vise seulement les lois que les hommes se donnent à eux-mêmes. Il lance un appel aux législateurs pour que ceux-ci, conscients des imperfections des hommes, se laissent diriger par la conscience de savants éclairés – c'est-à-dire guidés par la raison. Il s'agit, constate Louis Althusser, « d'une correction de la conscience errante par la science acquise, de la conscience inconsciente par la conscience scientifique ». Les acquis de la science doivent passer dans la pratique politique en purifiant celle-ci de ses erreurs. Il faut des lois qui rappellent à l'homme son devoir, bon gré mal gré, s'il veut accomplir son destin d'homme.

Car l'homme, être borné, est sujet à l'ignorance et livré aux passions malgré les privilèges que lui confèrent l'intelligence et la connaissance sensible : « Il viole sans cesse les lois que Dieu a étables et change sans cesse celles qu'il se donne » (I, 1). À quoi l'on pourrait ajouter que parfois il refuse de suivre celles qu'il s'est données. En sociologue Montesquieu recherche, à travers les conduites obéissantes ou rebelles des hommes, une loi qu'ils observent sans le savoir. Il tend à « dégager les lois du viol des lois ou de leur changement » (Louis Althusser) en faisant appel à des causes que les hommes ignorent (climat, terrain, mœurs, etc.). C'est ainsi que son livre rend compte des lois humaines et de la différence qui s'ouvre entre le comportement des hommes d'une part et les lois primitives (c'est-à-dire les lois naturelles de la morale) et les lois positives d'autre part. Conventions arbitraires insérées dans un déterminisme universel, les lois se réfèrent à la psychologie des peuples. Sous leur diversité réapparaît la loi d'unité structurelle posée d'emblée par Montesquieu : l'« esprit » des lois est bien leur forme rationnelle.

Une méthodologie des lois

Les causes diverses (ou plus exactement «les divers rapports que les lois peuvent avoir avec diverses choses») sont énumérées au début du livre I, chapitre 3, sans ordre apparent : dans cette diversité, c'est la loi, seul terme constant, qui demeure au centre du livre. Pas plus qu'il ne prétend exposer un système de causes, Montesquieu ne souhaite présenter un système de lois : «Je n'ai point pris la plume pour enseigner les lois, mais la manière de les enseigner. Aussi n'ai-je point traité des lois, mais de l'esprit des lois» (pensée n° 1794). Son ouvrage n'est donc pas un traité de jurisprudence, mais offre une méthode pour étudier la jurisprudence.

Il ne cherche pas non plus à décrire chacune des composantes d'où résulte l'esprit général d'une nation. Montesquieu le dit lui-même : «Cette matière est d'une grande étendue. Dans cette foule d'idées qui se présentent à mon esprit, je serai plus attentif à l'ordre des choses qu'aux choses mêmes» (XIX, 1). L'idée de méthode s'impose donc à lui et ôte la tentation de rédiger un traité de jurisprudence. L'écrivain élimine tout « ordre par matière », conjugue plusieurs idées, procède à des anticipations ou à des renvois, et souvent recourt à cette omission des « idées intermédiaires » que souligne d'Alembert, soucieux de tout rattacher à une définition universelle de la loi, issue de la science physico-mathématique.

Cette universalité fait de la loi une valeur transcendentale, qu'il faut respecter à cause de sa vérité éternelle et de son caractère absolu : «Avant qu'il y eût des lois faites, il y avait des rapports de justice possibles.» Il s'ensuit que le travail de la raison ne doit pas concerner le droit général et immuable (Montesquieu ne prétend pas rédiger un code de la nature), mais chercher à découvrir pourquoi le droit positif d'une société (c'est-à-dire ses lois et ses règles), est ce qu'il est.

La relativité dans les lois positives

Philosophe relativiste, Montesquieu s'oppose aux théoriciens qui prétendent déduire du droit romain ou du droit naturel une législation universelle. Sans doute il admet des « rapports d'équité » éternels et s'imposant à tous les hommes, quelles que soit leur race, leur civilisation, leur époque. Sans doute sa foi dans la justice, règle supérieure du droit, antérieure à toutes les lois positives, lui fait écrire : « Dire qu'il n'y a rien de juste ni d'injuste qu'ordonnent ou défendent les lois positives, c'est dire qu'avant qu'on eût tracé le cercle tous les rayons n'étaient pas égaux » (I, 4). Mais sa raison de praticien explique sa conception de la relativité des lois. « C'est un très grand hasard si celles d'une nation peuvent convenir à une autre », (I, 3) constate-t-il en soulignant la nécessaire spécificité des lois. Leur relativité apparaît alors comme un fait réel et Montesquieu répond à l'avance à ceux qui l'accuseront de vouloir implanter en France les lois de l'Angleterre. Mais plus loin, dans les livres XIV à XIX, la relativité devient un idéal : « Elles doivent être relatives au physique du pays, au climat [...] ». Le sociologue énumère alors les domaines où il convient de renforcer la correspondance des lois aux conditions d'un pays. Il énonce une loi historique dont les contemporains ne soupçonnaient même pas la valeur, l'incessante évolution des lois et des mœurs ; il prévient qu'il faut suivre dans son développement le génie des peuples et dans leurs transformations les textes de lois où s'inscrivent de nouvelles manières de penser. Montesquieu est le premier écrivain du XVIIIe siècle à éprouver ce sentiment de l'universel devenir.

LA CLASSIFICATION DES GOUVERNEMENTS

Une typologie structurelle

La volonté constante chez Montesquieu d'établir entre les choses, même non mesurables, une succession ordonnée le conduit à entamer l'étude de l'« esprit » des lois par une théorie politique d'apparence traditionnelle, puisqu'elle prend la forme d'une typologie au moment où on attendait une étude des causes. « L'*Esprit des lois*, observe Ernest Cassirer dans *La Philosophie des Lumières*, est une théorie des types.

L'ouvrage veut montrer et démontrer que les organisations politiques que nous désignons sous des noms de république, d'aristocratie, de monarchie, de despotisme, ne sont pas des agrégats d'éléments hétéroclites, que chacun est pour ainsi dire préformé, est l'expression d'une structure. » Montesquieu part en effet du monde réel que l'on peut observer et du monde ancien tel que les historiens le font connaître. Refusant tout *a priori* métaphysique ou logique, il explique la variété des gouvernements en faisant ressortir leur structure et leurs mécanismes.

Avant lui la classification des gouvernements reposait sur le critère du nombre : la tripartition de Platon, reprise par Aristote dans sa *Politique*, se fondait sur l'unité, la pluralité et la totalité des participants à l'exercice du pouvoir. Ce schéma théorique, qui distinguait la royauté, l'aristocratie et la république (en constatant leurs déviations possibles, la tyrannie, l'oligarchie et la démocratie), est celui de la pensée européenne, de saint Thomas d'Aquin à Hobbes. Montesquieu le refuse pour des raisons d'ordre méthodologique. Une observation concrète des sociétés modernes et une étude approfondie des sociétés disparues lui permet de remonter à la « nature » et au « principe » de chaque gouvernement (*cf.* livres II et III) et d'aboutir à la « corruption » du « principe » (*cf.* livre VIII), tout en établissant des rapports entre les lois politiques et l'éducation du citoyen, le droit civil, le droit criminel, le luxe, le droit international (*cf.* livres IV à X).

Chaque gouvernement, constate Montesquieu, se caractérise par sa « nature » (c'est-à-dire sa structure particulière) et par son « principe » (c'est-à-dire par les passions sociales qui assurent sa stabilité et sa continuité). Sa « nature » qui le définit relève de l'analyse juridique et constitutionnelle ; son « principe », qui le fait vivre, relève de l'analyse psychologique. Montesquieu propose une typologie scientifique et concrète qui « assimile ses trois définitions à trois faits qui répondent plutôt à trois dioramas historiques » (Paul Vernière), correspondant au passé, au présent et à l'ailleurs :

– le gouvernement républicain, où « le peuple en corps a la souveraine puissance », II, 2), c'est le passé d'Athènes et de Rome (avec une excroissance, la survivance à Venise et à Gênes des républiques aristocratiques* où « seulement une partie du peuple a la souveraine puissance », II,1) ;

– le gouvernement despotique, où « un seul sans loi et sans règle entraîne tout par ses caprices » (II,1), correspond à l'Orient avec ses grands empires musulmans, et à l'Extrême-Orient du Japon et de la Chine : c'est l'ailleurs ;

– quant au présent, on le trouve dans l'Europe moderne issue d'un Moyen Âge germanique et franc, progressivement christianisé, c'est-à-dire dans le gouvernement monarchique.

Détention et exercice du pouvoir relèvent donc d'**une description structurelle des institutions** reposant sur un triptyque historico-géographique.

Un fondement psychologique

L'originalité de Montesquieu consiste à donner à sa typologie des gouvernements un fondement psychologique, ce qu'il appelle le « principe ». Avec le principe il découvre la vie des sociétés humaines, la passion spécifique qui soutient une forme de gouvernement et dont la constance constitue la condition nécessaire de la stabilité du gouvernement. À la république correspond la vertu, à la monarchie l'honneur, au despotisme la crainte. L'action de ce principe « engage toute la collectivité politique » (Raymond Aron) et toute la vie sociale. Ainsi la vertu politique, si l'on prend l'exemple du gouvernement républicain, implique l'amour des lois, de la patrie, de l'égalité, de la frugalité, c'est-à-dire qu'en toutes circonstances les citoyens préfèrent le bien public à leurs passions propres : faute de vertu la république se dégrade et court à sa chute. Montesquieu consacre son livre VIII, conclusion de sa typologie politique, aux risques de décadence et d'échec : « La corruption de chaque gouvernement commence toujours par celle des principes. »

Montesquieu essaie donc de montrer quel sentiment collectif assure le fonctionnement de chaque gouvernement : tout régime politique possède un état d'esprit dominant dans la conscience des gouvernants (ou des gouvernés), ce qui les amène à se comporter de telle manière que le gouvernement établi se maintienne dans la durée. Cette notion de sentiment collectif (« le principe ») constitue une découverte capitale : elle ouvre la voie aux analyses politiques modernes qui différencient le « formel » du « concret ». Une liberté « formelle » est garantie par la « nature » du gouvernement, alors qu'une liberté « concrète » dépend du « principe », c'est-à-dire d'un sentiment dominant, d'un état d'esprit, des mœurs, de la situation économique. Un siècle et demi avant Marx et Engels, Montesquieu distingue la superstructure, c'est-à-dire le système politique d'un État, et l'infrastructure, c'est-à-dire la base économique concrète à laquelle correspondent un système idéologique et des formes de conscience sociale déterminées.

Honneur et monarchie

Montesquieu considère que la monarchie vraie est le gouvernement des temps modernes. Analysant ses structures au livre II, il souligne l'importance du rôle tenu, entre le possesseur unique du pouvoir et l'ensemble de ses sujets, par des « corps intermédiaires » créant une hiérarchie sociale. Le livre III montre que l'honneur rend cohérente cette hiérarchie sociale. La monarchie correspond parfaitement à la nature humaine parce qu'elle l'exploite habilement. Elle joue sur l'orgueil, multipliant les « prééminences », les « rangs », les « préférences » ou les « distinctions », sur la vanité en flattant le désir de notoriété ou de renommée, et sur l'égoïsme en attirant l'ambition ou le souci de satisfaire son intérêt personnel.

Montesquieu reconnaît que, philosophiquement parlant, c'est un « honneur faux », car il ne tend au bien collectif que pour permettre la promotion de ses adeptes (et en cela on peut le comparer au culte de la « gloire » et de la générosité chez Corneille). Mais il offre le meilleur des ressorts sociaux. Cimentant l'esprit de classe, il renforce la structuration qui révèle aux yeux de Montesquieu la perfection d'un corps politique. Obéissant à son propre code, il offre une forme dynamique de liberté et « fait mouvoir toutes les parties du corps politique » (III, 7).

Enfin il ne risque pas de déboucher sur une ambition dangereuse, car il est limité par le pouvoir du prince. Empruntant une image à la mécanique céleste (« il en est comme du système de l'univers », III, 7), Montesquieu montre que l'honneur permet à la monarchie un fonctionnement parfait, où les forces contradictoires se neutralisent, sans jamais empêcher l'action ni l'efficacité, et font d'elle le gouvernement le plus conforme à la raison.

Mais un enfer politique guette la monarchie : elle se dénature quand la puissance souveraine abolit les pouvoirs intermédiaires*. Progressivement dégradé par l'asservissement, l'avilissement et la lâcheté, l'honneur cède devant la crainte, qui conduit inéluctablement au despotisme. « Les fleuves courent se mêler dans la mer ; les monarchies vont se perdre dans le despotisme » (VIII, 17). C'est le souverain qui dénature la monarchie s'il glisse vers l'absolutisme, c'est lui également qui ruine la monarchie s'il en abolit le principe.

Crainte et despotisme

Sommaires et simplistes, les lois du despotisme se résument à une règle : le despote, « naturellement paresseux, ignorant, voluptueux, etc., abandonne » tous les pouvoirs « à un vizir qui aura d'abord la même puissance que lui » (II, 5). Démontant la structure du despotisme, Montesquieu donne un tour brutal à la condamnation de ce régime « monstrueux » qui constitue une sorte de repoussoir. La réprobation du sociologue rejoint celle du moraliste et de l'historien, horrifiés par les exactions des despotes – dans l'Antiquité gréco-romaine comme dans l'actualité orientale – entraînés à tuer sans cesse davantage pour assurer leur survie. Le despotisme est en effet **un système antipolitique**, reposant sur une passion basse, **la crainte**, privé de toute structure, monolithique et risquant de se désintégrer sur un « moment » ou un « instant » de faiblesse. Il manque donc de la durée qui constitue un critère de bon fonctionnement de tout régime politique.

Si les effets de la crainte peuvent être contradictoires – la hantise de la disgrâce ou le désespoir peuvent inciter à assassiner le tyran – le despotisme débouche sur une contradiction qui ne le condamne pas moins. Alors que la justification d'un système politique se trouve dans le bonheur qu'il fait régner, le despotisme exclut tout bonheur puisqu'il naît de la terreur. Son caractère rudimentaire et consternant ressort du plus court chapitre de l'*Esprit des lois*, destiné à piquer l'attention du lecteur : « Quand les sauvages de la Louisiane veulent avoir du fruit, ils coupent l'arbre au pied et cueillent le fruit. Voilà le gouvernement despotique » (V, 13).

Vertu et république

Pour Montesquieu le temps des républiques n'existe plus – même si elles survivent sous la forme aristocratique à Gênes et à Venise – : à l'ère des empires, du luxe et du commerce international, il n'y a plus de place pour ces petits États où l'on se contente de très peu pour être heureux. C'est pourquoi l'auteur remonte dans les lointains de l'Antiquité respirer un parfum d'héroïsme. Il y trouve des peuples qui illustrent sa conception du principe de la démocratie, fondée sur la vertu*. Dans un «Avertissement» posthume, publié en 1757, il explique ce qu'il entend par ce terme, qui constitue un des mots clés de l'ouvrage : «Ce que j'appelle vertu dans la république est l'amour de la patrie, c'est-à-dire de l'égalité. Ce n'est point une vertu morale, ni une vertu chrétienne, c'est la vertu politique.» Fondée sur la formation morale des citoyens et sur la pérennité de l'État, la vertu politique est définie clairement au livre IV. «On peut définir cette vertu comme l'amour des lois et de la patrie. Cet amour, demandant une préférence continuelle de l'intérêt public au sien propre, donne toutes les vertus particulières ; elles ne sont que cette préférence» (IV, 5). Le citoyen doit donc faire passer les lois et la patrie avant son avantage personnel, ce qui implique un amour passionné de la démocratie, le goût de l'héroïsme et le sens du sacrifice.

Le livre V tirera les conséquences de cet amour de la démocratie : «L'amour de la démocratie est celui de l'égalité. L'amour de la démocratie est encore l'amour de la frugalité» (V, 3). Par définition les citoyens d'une démocratie sont égaux. Cette égalité politique entraîne l'égalité dans les conditions sociales et dans la répartition des biens. Elle est complétée par la frugalité : le citoyen se contente du strict nécessaire et donne le superflu à la patrie, à la collectivité. C'est pourquoi Babeuf et les socialistes du XIXᵉ siècle ont vu dans l'*Esprit des lois* un livre précurseur du socialisme. En fait si Montesquieu tient la vertu républicaine en si haute estime, c'est qu'il la juge inaccessible aux hommes. Nourri d'Antiquité, l'écrivain y trouve un terrain favorable à l'évasion par le rêve. Sa nostalgie purement intellectuelle lui permet d'illustrer, par des exemples du passé, un régime qu'il n'estime plus viable à son époque, pour des raisons autant morales que politiques.

LA TRIPARTITION DES POUVOIRS

L'héritage politique légué par Montesquieu est parfois réduit à la théorie de la «séparation des pouvoirs*», qui, contrairement à ce que l'on a trop souvent cru, ne répond pas exactement aux conceptions de l'écrivain. La pensée de Montesquieu n'est en effet pas celle d'un théoricien du constitutionnalisme, mais celle d'un observateur inquiet de voir la monarchie française évoluer vers le despotisme et qui aborde dans le livre XI de l'*Esprit des lois* une question fondamentale : comment peut-on sauvegarder la liberté dans une république ou une monarchie ? Lecteur de la *Politique* d'Aristote et de l'*Essai sur le gouvernement civil* de Locke, il a compris que la liberté politique résulte nécessairement de lois établies liant le gouvernement et que, pour éviter les abus, le pouvoir de faire les lois et celui de les appliquer ne doivent pas rester dans les mêmes mains. Le chapitre 6 du livre XI, un des plus célèbres de l'ouvrage, ne cite qu'une fois l'Angleterre (malgré son titre « De la constitution d'Angleterre »), mais présente le tableau idéal d'institutions fondées sur la tripartition des pouvoirs et part de la liberté pour juger les combinaisons entre les pouvoirs.

« Il y a [...] trois sortes de pouvoirs » (XI, 6)

Une formulation descriptive (« Il y a dans chaque État trois sortes de pouvoirs, la puissance législative, la puissance exécutrice des choses qui dépendent du droit des gens et la puissance exécutrice de celles qui dépendent du droit civil ») permet de présenter d'emblée son analyse des trois formes différentes que revêt le pouvoir : la puissance législative et deux puissances exécutrices, la première s'appliquant au droit des nations (la puissance de décider de la paix ou de la guerre), mais qu'un peu plus loin on considère comme la puissance capable de faire exécuter les lois de la nation, et la seconde représentant le pouvoir de juger.

On voit s'esquisser la théorie de la séparation des pouvoirs développé par de nombreux juristes constitutionnalistes : Montesquieu aurait renoncé à son analyse sociologique des institutions politiques pour proposer un modèle idéal, un système fondé sur une rigoureuse séparation des pouvoirs. On trouverait côte à côte trois sphères de pouvoir, l'exécutif (le roi et ses ministres), le législatif (la chambre haute et la chambre basse) et le judiciaire (l'ensemble des magistrats), chacun de ces pouvoirs étant assuré par un organe entièrement indépendant. Cette indépendance se manifesterait logiquement par l'impossibilité pour un membre du législatif d'assurer un rôle exécutif (devenir ministre) ou judiciaire (devenir magistrat). Elle interdirait évidemment toute pression, tout empiètement, toute intervention d'un pouvoir sur l'autre.

Une combinaison des pouvoirs

Cette séparation fonctionnelle n'existe pas chez Montesquieu. Charles Eisenmann a démontré, dans *L'Esprit des lois et la séparation des pouvoirs*, que même dans le cas de la constitution anglaise, où coexistent trois autorités (le roi, les deux chambres et les juges), la répartition n'est pas aussi simple. L'*Esprit des lois* accepte l'empiètement de l'exécutif sur le législatif par sa « faculté d'empêcher » (XI, 6), ce qui implique pour le Parlement le droit de demander aux ministres de lui rendre des comptes. Enfin il prévoit que le pouvoir législatif déborde largement sur le judiciaire, s'érigeant en cour de justice en matière d'amnistie, de procès politique ou d'accusation portée contre un membre de la noblesse.

Il apparaît donc que Montesquieu propose non une séparation, mais **une tripartition et une combinaison** des pouvoirs qui sont « distribués et fondus » (XI, 7). Le pouvoir judiciaire voit son rôle limité par les attributions concurrentes, du pouvoir législatif et par la fonction précise qui lui est accordée, lire et dire la loi hors de cette initiative personnelle : « Les juges de la nation ne sont [...] que la bouche qui prononce les paroles de la loi, des êtres inanimés qui n'en peuvent modérer ni la force ni la rigueur » (XI, 6). On découvre donc pourquoi Montesquieu, au même chapitre, constate que parmi les trois pouvoirs qu'il a mis en lumière celui de juger est quasi nul. Restent donc face à face deux pouvoirs, l'exécutif et le législatif. Mais le jeu de ces pouvoirs fait apparaître trois puissances : le roi, la chambre haute (c'est-à-dire la noblesse) et la chambre basse (c'est-à-dire le peuple).

Une idée fondamentale : la modération des pouvoirs

On comprend mieux dès lors l'idée chère à Montesquieu de **la modération des pouvoirs**. Elle ne se trouve ni dans une impérative séparation des pouvoirs, ni dans le respect de la légalité. » Louis Althusser la définit comme « l'équilibre des pouvoirs, c'est-à-dire le partage des pouvoirs entre les puissances et la limitation ou modération des prétentions d'une puissance par le pouvoir des autres. La fameuse séparation des pouvoirs n'est donc que le partage pondéré du pouvoir entre des puissances déterminées : le roi, la noblesse, le peuple. » Louis Althusser en conclut que ce partage fondé sur la modération s'effectue au profit de la noblesse : elle gagnerait dans ce système le privilège d'être reconnue en tant que classe sociale comme une force politique, et l'interdiction faite au roi d'un quelconque pouvoir judiciaire (la détention de ce pouvoir par le roi ferait sombrer la monarchie dans le despotisme) la met à l'abri de toutes les entreprises du roi.

Cette interprétation paraît orientée et restrictive. Car la modération n'est pas seulement la règle d'or du gouvernement monarchique, c'est l'idée directrice de tout l'*Esprit des lois* : « Je le dis et il me semble que je n'ai fait cet ouvrage que pour le prouver : l'esprit de modération doit être celui du législateur ; le bien politique, comme le bien moral, se trouve toujours entre deux limites » (XXIX, 1). Quant à la célèbre formule « Pour qu'on ne puisse abuser du pouvoir, il faut que par la disposition des choses, le pouvoir arrête le pouvoir » (XI, 4), elle ne concerne pas la constitution d'Angleterre, mais offre une règle applicable à n'importe quel gouvernement, règle dont il faut nuancer le caractère impératif par un axiome du livre I : « Les lois doivent être tellement propres au peuple pour lequel elles sont faites, que c'est un très grand hasard si celles d'une nation peuvent convenir à une autre » (I, 3).

« LE SYSTÈME DE LA LIBERTÉ (PENSÉE N° 80)

La recherche d'un mode d'exercice du pouvoir garantissant la liberté

Critère d'un bon gouvernement, l'esprit de « modération » débouche tout naturellement sur **l'idée de liberté**, impliquée par l'indépendance juridique réciproque du Parlement et du gouvernement. L'Angleterre bénéficie du seul régime qui recherche directement la liberté politique, même si la « modération » est en mesure de susciter ailleurs les conditions d'une liberté variable selon les endroits et les circonstances. La description de ces circonstances permet de mettre en lumière la véritable finalité de la liberté politique : elle

« consiste dans la sûreté, ou du moins dans l'opinion que l'on a de sa sûreté » (XII, 2), c'est-à-dire l'assurance de ne pas être poursuivi, emprisonné ou condamné pour un crime dont on est innocent ou pour un acte qui n'est pas répréhensible au regard de la loi. La sûreté du citoyen dépend à la fois de l'empire de la loi et de la pratique judiciaire qui relève des relations entre l'individu et la société. C'est pourquoi les garanties sur les modalités des enquêtes et sur la forme des jugements dépendent de la propagation des Lumières, en Angleterre comme ailleurs.

La liberté politique, dans la mesure où on la conquiert seulement dans le cadre d'une société civile, ne peut se définir par des conditions politiques. Elle n'est pas garantie par une structure politique donnée et peut disparaître même dans un État modéré : « La liberté politique ne se trouve que dans les gouvernements modérés. Mais elle n'est pas toujours dans les États modérés ; elle n'y est que lorsqu'on n'abuse pas du pouvoir » (XI, 4). Son exercice plein et entier dépend de l'état de légalité civile : « La liberté est le droit de faire tout ce que les lois permettent ; et si un citoyen pouvait faire ce qu'elles défendent, il n'aurait plus de liberté, parce que les autres auraient tout de même ce pouvoir » (XI, 3).

L'idée qu'un pouvoir politique se définit non seulement par sa « **nature** » et son « **principe** », mais surtout par son **mode d'exercice** constitue le maître mot de l'*Esprit des lois*. Comme l'expose Georges Benrekassa dans une étude stimulante, *Montesquieu, la liberté et l'histoire* : « La constitution d'Angleterre ne va constituer ni un modèle, ni un recueil de préceptes, ni un énoncé de conditions suffisantes. Elle est l'émergence de conditions opportunes dont la réalisation, à la fois historiquement conjoncturelle et fondamentale, a bien ici pour finalité un certain statut du citoyen. » Montesquieu ne cherche nullement à imposer l'exemple anglais – son séjour à Londres coïncide d'ailleurs avec une période où l'interprétation de la constitution suscite en Angleterre une violente polémique, Bolinbroke, leader de l'opposition, revendiquant pour garantir la liberté une totale indépendance des pouvoirs – en révolutionnant la structure monarchique française. Son but consiste seulement à rechercher un mode d'exercice du pouvoir monarchique traditionnel qui offre à la sûreté des citoyens des garanties équivalentes à celles qui existent en

Angleterre, en partant de l'esprit de liberté qui a renversé le despotisme de l'Empire romain.

Les conditions concrètes de l'exercice de la liberté

La relation entre le citoyen et les lois qui garantissent ou devraient garantir sa liberté dans sa personne et dans ses biens n'est concevable pour Montesquieu que dans le cadre d'une société politique modérée. Ce qui préoccupe l'écrivain, ce sont **les conditions concrètes d'exercice de la liberté**. On découvre dans les livres VI, XII et XXIX de l'*Esprit des lois* une hardiesse courageuse quand l'auteur expose nombre de principes fondamentaux de ce qui sera la bible juridique réformatrice du siècle, le *Traité des délits et des peines* (1764) de l'italien Beccaria : la « légalité » des peines, leur application équitable à tous les justiciables, leur proportionnalité aux délits, la renonciation à toute rigueur superflue, la séparation entre la justice divine et la justice humaine.

La démarche de Montesquieu, profondément novatrice, consiste à montrer que c'est « le juridique en tant que tel qui est protection » (Georges Benrekassa) du citoyen contre toute incrimination de ses opinions, de ses paroles ou de ses écrits. Penseur du droit et se distinguant fondamentalement des théoriciens du droit naturel, Montesquieu a compris que la procédure, même si elle paraît insupportable par ses lenteurs et par sa complexité, offre par son formalisme la meilleure des sauvegardes pour la liberté : elle donne aux accusés l'assurance que toute la lumière sera faite sur leur affaire et qu'ils bénéficieront de toutes les garanties requises par leur défense. Cette vue paraît particulièrement pénétrante si on la rapporte aux procès politiques du XXe siècle où la raison d'État et l'esprit de parti l'ont emporté sur le respect de la sûreté individuelle et des droits de la défense.

LE DÉTERMINISME PHYSIQUE – LA THÉORIE DES CLIMATS

Tout système juridique résulte pour Montesquieu de causes particulières variées qui l'ont emporté à un moment de l'histoire dans un espace précis. Si le droit positif paraît souvent contredire le droit naturel, c'est sous l'effet de contraintes particulières qui s'avèrent déterminantes et qui transforment la nature des échanges sociaux. Ce déterminisme* physique, Montesquieu en cherche d'abord le poids dans les données climatiques susceptibles d'affecter les caractéristiques morales des hommes et leurs législations. Revenant sur la hiérarchie des causes dans le livre XIX, ne constate-t-il pas que « l'empire du climat est le premier de tous les empires » (XIX, 4) ?

La présentation de la théorie des climats débute dans le livre XIX par le récit d'une expérience menée personnellement par Montesquieu selon une méthode scientifique rigoureuse : une série d'observations au microscope sur le tissu d'une langue de mouton lui a montré la dilatation ou la rétraction des houppes nerveuses selon que la langue se trouve à l'état naturel ou qu'on la congèle. Montesquieu en a tiré deux conséquences : la sensation est atténuée sous l'effet du froid, toutes les fibres de l'organisme réagissent au climat. Cette expérimentation directe, exceptionnelle pour l'époque, conduit l'écrivain à développer une psychosociologie classant l'humanité selon trois climats fondamentaux – le chaud, le froid, le tempéré – sans d'ailleurs que cette grille exclue les nuances. De là Montesquieu passe à une explication climatique de la législation, qui repose sur une vision déterministe, voire matérialiste, du monde. Il revient ainsi au projet fondamental de l'*Esprit des lois*. Le rôle du climat, décelé par l'expérience sur la physiologie de l'individu, s'exerce d'abord sur une collectivité : il offre une composante importante de l'« esprit général », puis influence les lois de cette collectivité.

Affinant son analyse, Montesquieu décèle un clivage entre les pays du Nord, caractérisés par le génie de la liberté et les pays du Sud, dominés par l'esprit de servitude. La tripartition des climats rejoint ainsi la typologie ternaire des gouvernements : à la liberté extrême de l'Angleterre, pays de climat froid, répondent d'une part l'esprit de liberté régnant en France, pays de climat tempéré et de gouvernement modéré, et d'autre part, à mesure que l'on descend vers les empires tropicaux, l'esprit de servitude naturalisé dans le despotisme.

Le déterminisme climatique

Convaincu que les pays du Nord sont attachés à la liberté (XIV, 3) et que les peuples du midi sont exposés à la servitude, Montesquieu dans le livre XV explique par le climat l'institution de l'esclavage, la plus dure de toutes les conditions sociales. Mais l'originalité du livre XV tient à une nouveauté dans l'attitude de l'auteur : habitué à démêler les causes des lois et des coutumes sans porter sur elles de jugement, Montesquieu ne peut s'empêcher de démontrer l'absence de tout fondement moral de l'esclavage, tant cette institution lui paraît en contradiction avec la nature de l'homme. Le point de vue du moraliste rejoint celui du sociologue, notamment pour flétrir énergiquement l'esclavage colonial, présenté comme un crime contre la nature : « Comme tous les hommes naissent égaux, il faut dire que l'esclavage est contre la nature. » On comprend l'hommage rendu à Montesquieu par Voltaire dans son *Commentaire sur l'*Esprit des lois : « Si jamais quelqu'un a combattu pour rendre aux esclaves le droit de nature, la liberté, c'est assurément Montesquieu. Il a opposé la raison et l'humanité à toutes les formes d'esclavage. »

La modernité de l'écrivain n'apparaît pas moins quand il aborde dans le livre XVI le problème de la condition féminine par le biais de la polygamie. Il analyse cette institution en sociologue et l'explique par le climat, mais il la condamne sévèrement : elle nuit au genre humain, aux hommes poussés à l'adultère, aux femmes soumises aux caprices d'un maître, aux enfants privés de foyer. Montesquieu va peut-être moins loin que dans les *Lettres persanes* où la polygamie et le sérail apparaissent clairement comme l'image de la société despotique : le harem ne fonctionne-t-il pas selon le principe de la crainte, de la contrainte et du mensonge, détruisant la sociabilité et dévirilisant le héros du roman ? Mais le livre XV de l'*Esprit des lois* conserve de nos jours toute son actualité puisque la polygamie subsiste dans nombre de pays musulmans d'Asie et d'Afrique, et cela en un temps où on ne parle que de libération de la femme.

Toujours est-il que le positivisme de Taine et d'Auguste Comte est sorti tout armé de cette théorie du **déterminisme climatique** qui contribue largement à la célébrité de l'*Esprit des lois* dès sa parution, mais vaut à son auteur l'accusation de « spinozisme » : l'Église reproche à Montesquieu de tendre vers un naturalisme matérialiste quand il explique le suicide et la polygamie par le climat ou bien quand il affirme l'impossibilité pour le christianisme de s'implanter ailleurs que dans les climats tempérés de l'Europe.

Le déterminisme géographique

Toujours en quête de causes extérieures déterminant les institutions, Montesquieu recherche dans le livre XVIII comment les lois sont influencées par la « nature du terrain », prise au sens large. Il étudie successivement des facteurs relevant de la géographie physique – comme la plus ou moins grande fertilité du sol, le relief, le caractère insulaire ou continental d'un territoire –, puis des facteurs se rattachant à la géographie humaine – comme la vie des peuples chasseurs ou des peuples commerçants, en passant par celle des peuples pêcheurs ou des peuples agriculteurs. Il met en relief les relations entre la géographie physique et les institutions politiques et, devançant les sociologues modernes, explique les sociétés primitives par leur mode de subsistance.

Certains critiques au XXᵉ siècle lui ont fait reproche d'être complaisant à une sorte de fatalisme* géographique. C'est oublier une conviction profonde de Montesquieu : loin de conseiller aux législateurs de conformer leurs lois à la nature du terrain (ou du climat) il les invite à essayer de corriger cette nature quand « la puissance viole la loi naturelle » (XIV, 4). Quand la géographie demeure une donnée immuable, d'autres causes particulières peuvent intervenir pour décider des mouvements de l'histoire.

ESPRIT GÉNÉRAL ET CAUSALITÉ GLOBALE

L'esprit général

Avant d'aboutir à la formulation globale qui éclaire sa philosophie de la société (« Plusieurs choses gouvernent les hommes : le climat, la religion, les lois, les maximes du gouvernement, les exemples des choses passées, les mœurs, les manières ; d'où il se forme un esprit général qui en résulte », XIX, 4), Montesquieu s'est efforcé de classer les éléments de cette **causalité globale**. Son *Essai sur les causes* les recherche dans les causes physiques, les causes morales et l'éducation sociale. Ses *Pensées* en relèvent les facteurs dominants : les mœurs, les manières, la religion, les lois et tantôt les maximes du gouvernement, tantôt le climat.

Les facteurs qui constituent ou conditionnent l'esprit général sont énumérés dans le livre XIX de l'*Esprit des lois* sans aucune hiérarchie, mais le résultat de leur métissage dépend de leur plus ou moins grande influence relative dans le temps et dans l'espace : « À mesure que dans chaque nation une de ces causes agit avec plus de force, les autres lui cèdent d'autant » (XIX, 4). La causalité globale apparaît donc comme souple, multiple et variable selon les pays. Elle explique une maxime du livre I : « Le gouvernement le plus conforme à la nature est celui dont la disposition particulière se rapporte mieux à la disposition du peuple pour lequel il est établi. »

C'est dans cette notion d'esprit général que Hegel et les sociologues découvrent l'importance et la nouveauté de leur devancier qui « a fondé son immortel ouvrage sur l'institution de l'individualité et sur le caractère des peuples [...] Il a montré que la raison, l'entendement humain et l'expérience même, d'où les lois particulières provenaient, ne sont ni une raison ou un entendement *a priori*, ni une expérience *a priori*, qui serait une expérience absolument générale, mais qu'elles sont l'individualité vivante d'un peuple, individualité dont les principales déterminations doivent être comprises comme provenant d'une nécessité générale » (Hegel, *Écrits de politique et de philosophie du droit*). L'enseignement de Montesquieu consiste à ne pas aborder isolément et abstraitement les lois et leurs déterminations spécifiques, mais à les considérer comme des éléments d'**une totalité**, en liaison avec toutes les autres déterminations qui constituent le caractère d'une nation et d'une époque.

Esprit général et liberté

Il apparaît donc que derrière la notion d'esprit général se profile une « mise en perspective globale des constituants de la réalité sociale » (Georges Benrekassa). À côté des lois – émanant du législateur – Montesquieu présente ce qui n'est pas les lois et qui importe au plus haut point dans la fondation d'une légalité. « Il y a cette différence entre les lois et les mœurs que les lois règlent plus les actions du citoyen et que les mœurs règlent plus les actions des hommes » (XIX, 16). Si certaines sociétés confondent les niveaux auxquels l'homme se situe dans sa relation avec la réalité sociale, Montesquieu refuse cette intégration : « Lorsqu'on veut changer les mœurs et les manières, il ne faut pas les changer par les lois : cela paraîtrait trop tyrannique » (XIX, 14).

De la notion d'esprit général naît donc une réflexion fondamentale sur les conditions de la liberté et cela à partir d'une
analyse de la réalité sociale. Sortant de l'antique débat sur la
priorité des lois et des mœurs, Montesquieu conçoit que,
selon la formule de Georges Benrekassa, « une régulation
réciproque des hommes et des institutions donne une collectivité à travers un certain nombre de médiations ». Ainsi sont
réintégrés dans la politique les niveaux divers de la réalité
sociale sans être dans une unité rigide qui enlèverait toute
possibilité de liberté au sens où nous entendons ce mot.

La liberté doit être « naturalisée » dans la globalité du tissu
social : « Dans une nation libre, il est très souvent indifférent
que les particuliers raisonnent bien ou mal ; il suffit qu'ils
raisonnent : de là sort la liberté qui garantit les effets de ces
mêmes raisonnements » (XIX, 27). L'esprit général apparaît
dès lors comme une équation singulière, avec ses constantes
– comme le climat et le terrain – et ses variables, dont les
plus marquantes sont l'action personnelle du législateur et le
mouvement même de l'histoire.

« LE BONHEUR DES AUTRES »

La justice

« Ne faut-il pas sortir des routes ordinaires pour chercher le
bonheur des autres dont les hommes s'occupent si peu ? »
écrit à Montesquieu en janvier 1749 le président Hénault,
après une lecture enthousiaste qui lui fait apprécier « la bienfaisance et l'humanité » de l'*Esprit des lois*. La pensée de
Montesquieu apparaît comme une pensée critique et généreuse, qui s'efforce de mettre au service des hommes les
moyens politiques nécessaires pour atteindre le bonheur sur
la terre. Elle part du refus de toute vision théologique du
monde, sans pour autant jamais céder ni à l'esprit d'utopie,
ni à l'esprit normatif. Sa conception pluraliste et souple de
l'« esprit général » d'une nation concilie la réalité sociale et
un idéalisme politique fondé sur l'idée de justice. C'est pourquoi Paul Vernière la présente comme un « système empiri-
corationnel plus ou moins laïcisé, fondé sur une exigence
morale personnelle », la « loi naturelle », à laquelle se référe-
ront Voltaire et Rousseau.

Montesquieu, convaincu dès les *Lettres persanes* que la justice, indépendante de toute détermination concrète, constitue une règle supérieure du droit préexistant à toutes les lois concrètes et que la croyance en la justice peut même remplacer la croyance en Dieu, ne sépare jamais l'explication positive des faits sociaux et l'exigence rationnelle d'une modification de la réalité. Découvrir l'équation d'une nation, c'est en même temps constater un équilibre susceptible, comme tout état de santé, de précarité et de ruptures. Or Montesquieu limite son ordonnance à quelques prescriptions destinées aux législateurs : ne pas modifier l'esprit général d'une nation (*cf.* XIX, 5), éviter toute confusion entre les différentes branches du droit applicables à chaque ordre de choses (*cf.* XXVI, 3), conserver « l'esprit de modération » en toutes circonstances (*cf.* XXIX, 1), éviter de rechercher à tout prix l'uniformité (*cf.* XXIX, 18), proscrire les passions et les préjugés (*cf.* XXIX, 19). Au-delà de cete médication prudente, il faut découvrir le dessein profond de Montesquieu dans le développement d'un certain nombre d'idées morales et politiques.

Un enfer pour l'homme, le despotisme

Adversaire du despotisme sous toutes ses formes, Montesquieu en fait le dernier des gouvernements dans sa typologie et le premier dans son aversion. Monstrueuse anomalie qui associe les tyrannies antiques, le despotisme oriental et, en filigrane, la fin du règne de Louis XIV sont fondés sur la terreur, figés dans l'absurde et constamment convulsés par des révoltes. Ce **régime antinaturel** qui écrase les hommes, bloque la vie sociale et épuise l'État, constitue un repoussoir : il fait valoir par contraste une humanité responsable et suscite la nostalgie des valeurs humaines authentiques.

À cet enfer s'oppose l'image embellie du mythe romain fondé sur la vision de citoyens exemplaires, animés de « cette vertu générale qui comprend l'amour de tous ». Principe politique, la vertu comporte une forte tonalité morale. Lorsqu'elle cesse, « l'ambition entre dans les cœurs et l'avarice entre dans tous. Les désirs changent d'objet [...] On était libre avec les lois, on est libre contre elles [...] Ce qui était maxime, on l'appelle rigueur ; ce qui était règle, on l'appelle cruauté [...] La république est une dépouille et sa force n'est plus que le pouvoir de quelques citoyens et la licence de tous » (III, 3). Ainsi se dessine un nouvel Enfer, celui de la Rome décadente par suite de la corruption, qui secrète la nostalgie de la vertu.

La défense de la liberté

Au mythe romain véhiculant l'idée de vertu s'oppose le mythe britannique proposant l'idée de liberté. Montesquieu découvre outre-Manche le seul gouvernement qui ait pour objet direct la liberté politique et la sûreté des citoyens. D'où sa description d'un régime qui constitue non un modèle, mais la base de toute réflexion politique, car il offre une idée neuve de la liberté civile, même s'il est guetté par le risque de la décadence et de la corruption. Montesquieu est convaincu qu'une monarchie à l'anglaise offre la meilleure forme de gouvernement.

Comme l'Angleterre, la France puise son esprit de liberté dans les mœurs des Germains, mais les troubles de la Fronde et l'agitation religieuse du XVIe siècle y ont renforcé l'absolutisme royal avec Richelieu et Louis XIV. Elle est donc menacée par le despotisme alors que par sa constitution et par sa nature son régime est modéré. Faut-il alors voir avec Louis Althusser dans les pouvoirs intermédiaires que Montesquieu propose comme rempart contre le despotisme l'incarnation d'une réaction féodale ? Ce serait oublier la lucidité du diagnostic de Montesquieu : en 1748 le risque en France est bien celui d'un absolutisme antiparlementaire et ministériel.

Un réformisme généreux

Il est facile de découvrir dans l'*Esprit des lois* un programme de réformes propres à unir en France selon l'esprit philosophique efficacité et humanité. Montesquieu nourrit une réflexion philosophique novatrice quand il définit les bases et la finalité de toute société par quatre mots-clefs : **nature, égalité, raison, bonheur**. On découvre chez lui l'inspiration d'un programme international invitant la France à bannir tout esprit de conquête, toute expansion coloniale, toutes les missions religieuses à l'étranger. On y trouve l'amorce de la Constitution civile du clergé : le divorce est conforme à la loi de nature, mais nullement le célibat des prêtres ; la richesse monarchiste dépeuple le pays. Enfin la tolérance civile entraîne la tolérance religieuse et la haine du fanatisme.

La générosité de Montesquieu et son souci humanitaire apparaissent dans sa célèbre remontrance à l'inquisition (*cf.* XXV, 13) où sa dialectique se fait féroce pour démontrer que les persécutions religieuses mettent en question les fondements de la civilisation occidentale, dans l'éloquence de son réquisitoire contre l'esclavage des « nègres » (*cf.* XV, 5), où la progression dans l'indignation suit le rythme de la logique et du cœur, dans la vigueur enfin avec laquelle il condamne les pratiques judiciaires de son temps au nom de principes en complète opposition avec la procédure criminelle de la France sous l'Ancien Régime : la séparation de la justice humaine et de la justice divine (*cf.* XXVI, 12), la modération des peines (*cf.* VI, 9), la proportion entre le délit et la peine (*cf.* XII, 4).

La modernité généreuse de Montesquieu apparaît également dans sa conception du libéralisme économique : s'il prône le commerce international comme instrument de la paix entre les peuples, ou le prêt à intérêt comme levier de développement économique, il refuse de voir dans la réussite financière un critère de mérite social et s'inquiète du rôle des puissances d'argent dans l'État. La vertu et la « frugalité » (*cf.* XIII, 20) lui semblent bien plus précieuses que les richesses ou la prospérité d'une nation, car elles garantissent la liberté, thème central et référence fondamentale de l'*Esprit des lois*.

UNE ŒUVRE D'ART

« Faire penser » (XI, 20)

« Et moi aussi je suis peintre. » L'éblouissement de Montesquieu devant la « majesté » de son sujet et la fierté devant son propre « génie » l'autorisent à évoquer, à la fin de la « Préface » de l'*Esprit des lois*, l'admiration du Corrège devant une œuvre de Raphaël. Cette affirmation de soi comme peintre peut apparaître comme une métaphore de l'écrivain au service de son désir de créateur : elle traduit la volonté de l'artiste de ne pas imiter, mais d'introduire une vision nouvelle des choses, un rapport nouveau au monde. Ce rapport nouveau se coule dans une forme profondément originale. Le style de Montesquieu n'appartient en effet qu'à lui, s'éloignant de la période classique et de la légèreté voltairienne. « Un homme qui écrit bien, note-t-il dans ses *Pensées*, n'écrit pas comme on écrit, mais comme il écrit. » Alors que ses contemporains sont convaincus que la beauté du style dépend des saillies piquantes et des traits d'esprit, Montesquieu s'élève dans sa « Préface » contre cette mode : « On ne trouvera point ici ces traits saillants qui semblent caractériser les ouvrages d'aujourd'hui. Pour peu qu'on voie les choses avec une certaine étendue, les saillies s'évanouissent ; elles ne naissent d'ordinaire que parce que l'esprit se jette tout d'un côté, et abandonne tous les autres. » Se moquant de la parure, Montesquieu vise à dominer complètement l'ensemble de ses conceptions.

Convaincu qu'il faut « laisser quelque chose à faire au lecteur », le Président va plus loin : il s'efforce de suggérer une idée plutôt que d'épuiser un sujet. Incité à la méditation par des tableaux rapides, des descriptions vives et des formules elliptiques, le lecteur doit rétablir les liaisons naturelles entre des alinéas brefs qui dédaignent de s'articuler. On a déjà cité la formule des *Pensées* illustrant chez Montesquieu le souci des raccourcis indispensables pour maintenir l'attention, tout en assurant la lisibilité du texte : « Pour bien écrire, il faut sauter les idées intermédiaires, assez pour n'être pas ennuyeux ; pas trop de peur de n'être pas entendu » (pensée n° 802). La formulation lapidaire de certaines propositions rejoint l'absence systématique de liaisons pour rapprocher le style de l'ouvrage du style de la conversation, où tout se traite de façon coupée, vive et prompte.

C'est par ce goût des « raisonnements ou des déraisonnements courts » (Alain Garoux) que l'on peut expliquer les surprises réservées par l'ordre apparemment décousu des idées ou des alinéas à l'intérieur des chapitres, le découpage dont les longueurs fluctuent, le choix de titres vagues (ainsi le titre du chapitre 14 du livre XIX, « Quels sont les moyens naturels de changer les mœurs et les manières d'une nation », ne laissait pas prévoir la célèbre formule « L'empire du climat est le premier de tous les empires »), bref le morcellement, l'inattendu et les bizarreries que recèle l'*Esprit des lois*. Soucieux de délasser par tout ce qui s'écarte des règles traditionnelles de la composition, l'auteur met à la place adéquate les idées qu'il utilise et laisse les lecteurs trouver les idées qui les relient. Mais la volonté de bannir l'ennui ne suffit pas à expliquer une discontinuité qui tient aussi à la prudence de Montesquieu, contraint aux contractions elliptiques pour déjouer les rigueurs de la censure, tant politique qu'ecclésiastique, et aussi à son désir de laisser la poésie surgir au milieu de l'exhaustivité scientifique.

Une prose poétique

Inattendue dans une œuvre à caractère scientifique, la présence fréquente du pronom de la première personne du singulier valorise l'aptitude de Montesquieu à communiquer son émotion ou à dégager d'un sentiment personnel ce qui peut toucher le lecteur. Un alinéa ajouté (« Je ne sais si c'est l'esprit ou le cœur qui me dicte cet article-ci », XV, 8) à la fin d'un chapitre exposant que sous tous les climats on peut amener les hommes à travailler sans les réduire en esclavage, souligne que Montesquieu, loin de se contenter d'analyser le problème en sociologue et en jurisconsulte, tient à s'engager personnellement, au nom du cœur et de la morale, pour dénoncer l'égoïsme et la cupidité qui sont à l'origine de la servitude. La présence de l'auteur, pour exprimer ses difficultés (« Il faut que je m'écarte à droite ou à gauche, que je perce, que je me fasse jour », XIX, 1) ou ses réussites (« Je crois que je tiens le bout du fil et que je puis marcher », XXX, 2) tend à faire naître une connivence affective avec le lecteur, au moment même où se crée une œuvre qui aborde des territoires inconnus. Le recours, même épisodique, à la première personne apporte donc une dimension humaine irrécusable à un traité qui veut étudier l'Homme et les hommes, et traduit en même temps la **tentation poétique** de son auteur.

Cette tentation se retrouve dans la fameuse « Invocation aux muses » placée en tête du second volume de l'*Esprit des lois*, qui, tout en reprenant la tradition de la poésie didactique, fait éclater le lyrisme de l'auteur. Parvenu au centre du livre auquel il se consacre depuis de très longues années, Montesquieu livre son angoisse intellectuelle. En cinq strophes d'une harmonie mélodieuse, il demande aux muses de gommer les traces de son dur labeur et de présenter les découvertes de la raison sous un jour agréable et sans négliger les charmes du sentiment. L'allure de strophe lyrique se découvrait dès la « Préface » où l'on perçoit le rythme chantant de chaque phrase, portée par des thèmes mélodiques qui se font écho : c'est l'art d'un musicien et d'un lyrique se laissant aller à ouvrir son cœur (« Je me croirais le plus heureux des hommes ») et dont chaque confidence, après avoir fait naître une grande image, se clôt sur un rythme apaisé et des mots simples.

Les images qui se pressent dès la « Préface » émaillent tout l'*Esprit des lois*. Exposant les effets du serment chez un peuple vertueux, Montesquieu conclut le chapitre par une formule puissante : « Rome était un vaisseau tenu par deux ancres dans la tempête : la religion et les mœurs » (VIII, 13). Ailleurs la phrase s'enfle par degrés et finalement éclate dans une grande vision cosmique : « Tel est l'état nécessaire d'une monarchie conquérante : un luxe affreux dans la capitale, la misère dans les provinces qui s'en éloignent, l'abondance aux extrémités. Il en est comme de notre planète, le feu est au centre, la verdure est à la surface, une terre aride, stérile et froide entre les deux » (X, 9). Images et visions n'offrent pas seulement un reflet de la vérité, elles en constituent l'expression neuve, jaillie de l'imagination de l'écrivain et mettant en œuvre les puissances du rêve.

Cette allure poétique, le critique américain Fletcher la découvre dans la manière dont Montesquieu mêle le réel et l'imaginaire dans le traitement des sources, ou dont il conçoit la globalité du réel comme un organisme vivant : ne pose-t-il pas dans le premier livre le principe d'un rapport de continuité universelle, de Dieu jusqu'à la plante (ce qui annoncerait le panthéisme de Hugo) ? Sans aller jusqu'à cette conception qui considère comme poétique toute forme de la découverte scientifique ou de la création intellectuelle, il faut reconnaître chez Montesquieu la recherche d'écarts par rapport aux codes ordinaires, écarts destinés à délivrer un message affectif, une expression qui s'apparente à un langage poétique.

Conclusion

Héritier des ambitions de la Renaissance et de l'âge baroque, philosophe du XVIIIe siècle par son goût de l'ironie, sa mobilité spirituelle, Montesquieu est devenu dans l'Europe des Lumières une référence obligée, et se trouve au premier plan dans le débat qui oppose sous la Révolution les partisans de la modération et les apôtres de la vertu*. Si énigmatique que puisse apparaître parfois sa vision de l'histoire, il a posé des principes « sans lesquels toute existence dans une société civile devient intolérable » (Georges Benrekassa).

Les libertés qu'il a défendues constituent l'ensemble des conditions nécessaires à l'existence d'une société libre et pluraliste. Sa haine de l'arbitraire, qui éclate dès les *Lettres persanes*, le conduit à l'idée qu'il existe une loi morale universelle, indépendante des caprices du législateur et des empiètements de l'État. Convaincu que l'individu libre ne doit jamais être séparé de la communauté où s'exerce sa liberté, il met en relief l'utilité de contre-pouvoirs garantissant l'équilibre politique de la société, quelles que soient les tensions : annonçant notre pratique politique, il a découvert que « la vie d'une démocratie complexe et moderne comme la nôtre ne peut être que la gestion des conflits » (Jean Ehrard) dans un monde où la vertu, fondement de l'obéissance, demeure plus actuelle que jamais.

Considéré comme une référence fondamentale par tous les constitutionnalistes, Montesquieu affirme pourtant, et c'est le sens profond du livre XI de l'*Esprit des lois*, que la liberté politique ne peut se résoudre par une solution strictement constitutionelle : « La liberté politique ne se trouve que dans les gouvernements modérés. Mais elle n'est pas toujours dans les États modérés : elle n'y est que lorsqu'on n'abuse pas de pouvoir » (*Esprit des lois*, XI, 4). Si la liberté politique semble dépendre pour Montesquieu de conjonctures opportunes, elle ne peut se concevoir indépendamment d'un statut du citoyen et d'institutions empêchant quiconque d'exercer un pouvoir total. L'originalité de Montesquieu apparaît donc dans le constat qu'aucune constitution n'est suffisante pour garantir la légalité civile et que le bon fonctionnement de toute société dépend d'une véritable autorégulation, liée à sa nature, à son principe et au bon sens des hommes qui la composent.

Fondateur d'une science politique où les références à la nature des choses relativisent l'idée de l'ordre social, Montesquieu demeure un analyste irremplaçable des rapports multiples de la société politique, en dehors de toute préférence pour une « espèce de gouvernement ». C'est pourquoi il apparaît, des *Lettres persanes* à l'*Esprit des lois*, comme un philosophe de la liberté auscultant le réel et confronté à l'intelligence de l'histoire.

Groupements thématiques

LOI

Textes :
Esprit des lois.

Citations :
• Les lois, dans la signification la plus étendue, sont les rapports nécessaires qui dérivent de la nature des choses. Dans ce sens tous les êtres ont leurs lois ; la divinité a ses lois, le monde matériel a ses lois, les intelligences supérieures à l'homme ont leurs lois, les bêtes ont leurs lois, l'homme a ses lois. (*Esprit des lois*, I, 1)

• La loi, en général, est la raison humaine, en tant qu'elle gouverne tous les peuples de la terre ; et les lois politiques et civiles de chaque nation ne doivent être que les cas particuliers où s'applique cette raison humaine. (*Esprit des lois* I, 3)

• Je ne traite point des lois, mais de l'esprit des lois [...]. Cet esprit consiste dans les divers rapports que les lois peuvent avoir avec diverses choses. (*Esprit des lois*, I, 3)

DÉTERMINISME

Textes :
Considérations..., Esprit des lois.

Citations :
• Comme les hommes ont eu dans tous les temps les mêmes passions, les occasions qui produisent les grands changements sont différents, mais les causes sont toujours les mêmes. (*Considérations*, I).

• Si le hasard d'une bataille, c'est-à-dire une cause particulière, a ruiné un État, il y avait une cause générale qui faisait que cet État devait nécessairement périr par une seule bataille. (*Considérations*, XVIII).

• Plusieurs choses gouvernent les hommes : le climat, la religion, les lois, les maximes du gouvernement, les exemples des choses passées, les mœurs, les manières ; d'où il se forme un esprit général qui en résulte. (*Esprit des lois*, XIX, 4)

• Il y a de tels climats où le physique a une telle force que la morale n'y peut presque rien. (*Esprit des lois*, XVI, 8).

• Je ne justifie pas les usages, mais j'en rends les raisons. (*Esprit des lois*, XVI, 4)

DESPOTISME

Textes :
Esprit des lois, Lettres persanes.

Citations :
• Quand les sauvages de la Louisiane veulent avoir du fruit, ils coupent l'arbre au pied, et cueillent le fruit. Voilà le gouvernement despotique. (*Esprit des lois*, V, 13)

• Dans les gouvernements despotiques [...] on fait indifféremment d'un prince un goujat, et d'un goujat un prince. (*Esprit des lois*, V, 19)

• Les fleuves courent se mêler dans la mer : les monarchies vont se perdre dans le despotisme. (*Esprit des lois*, VIII, 17)

JUSTICE

Textes :
Lettres persanes, Arsace et Isménie, Mes pensées, Esprit des lois.

Citations :
• S'il y a un Dieu, mon cher Rhédi, il faut nécessairement qu'il soit juste : car, s'il ne l'était pas, il serait le plus imparfait et le plus mauvais de tous les êtres. (*Lettres persanes*, LXXXIII).

• Il était persuadé que le bien ne devait couler dans un État que par le canal des lois ; que le moyen de faire un bien permanent, c'était, en faisant le bien, de les suivre ; que le moyen de faire un mal permanent, c'était, en faisant le mal, de les choquer. (*Arsace et Isménie*)

• Une chose n'est pas juste parce qu'elle est loi ; mais elle doit être loi parce qu'elle est juste. (*Mes pensées*, 460).

• La guerre de Spartacus était la plus légitime qui ait jamais été entreprise. (*Mes pensées*, 174)

LIBERTÉ

Textes :
Mes pensées, *Esprit des lois*.

Citations :
• La liberté, ce bien qui fait jouir des autres biens. (*Mes pensées*, 943)

• Le seul avantage qu'un peuple libre ait sur un autre, c'est la sécurité où chacun est que le caprice d'un seul ne lui ôtera point ses biens ou sa vie. (*Mes pensées*, 32)

• La liberté est le droit de faire tout ce que les lois permettent ; et, si un citoyen pouvait faire ce qu'elles défendent, il n'aurait plus de liberté, parce que les autres auraient tout de même ce pouvoir. (*Esprit des lois*, XI, 3)

• Pour qu'on ne puisse abuser du pouvoir, il faut que, par la disposition des choses, le pouvoir arrête le pouvoir. Une constitution peut être telle que personne ne sera contraint de faire les choses auxquelles la loi ne l'oblige pas, et à ne point faire celles que la loi lui permet. (*Esprit des lois*, XI, 4).

RELIGION

Textes :
Lettres persanes, *Mes pensées*.

Citations :
• Ceux qui mettent au jour quelque proposition nouvelle sont d'abord appelés hérétiques. (*Lettres persanes*, XXIX).

• La dévotion trouve pour faire une mauvaise action des raisons qu'un simple honnête homme ne saurait trouver. (*Mes pensées*, 1140).

• On dispute sur le Dogme et on ne pratique point la Morale. C'est qu'il est difficile de pratiquer la Morale et très aisé de disputer sur le Dogme. (*Mes pensées*, 481)

BONHEUR ET SOCIÉTÉ

Textes :
Esprit des lois, Lettres persanes, Mes pensées.

Citations :
• Un bon législateur s'attachera moins à punir les crimes qu'à les prévenir ; il s'appliquera plus à donner des mœurs qu'à infliger des supplices. (*Esprit des lois*, VI, 9).

• Quand on est maître de recevoir dans un État une nouvelle religion ou de ne pas la recevoir, il ne faut pas l'y établir. Quand elle est établie, il faut la tolérer. (*Esprit des lois*, XXV, 10)

• Ce n'est point à ce que le peuple peut donner qu'il faut mesurer les revenus publics, mais à ce qu'il doit donner, et si on les mesure à ce qu'il peut donner, il faut que ce soit du moins à ce qu'il peut toujours donner. (*Esprit des lois*, XIII, 1)

• Un homme n'est pas pauvre parce qu'il n'a rien, mais parce qu'il ne travaille pas. (*Esprit des lois*, XXIII, 29)

• L'effet naturel du commerce est de porter à la paix. Deux nations qui négocient ensemble se rendent réciproquement dépendantes. (*Esprit des lois*, XX, 2)

• L'effet ordinaire des colonies est d'affaiblir les pays d'où on les tire, sans peupler ceux où on les envoie. (*Lettres persanes*, CXXI).

• Il n'y a que deux sortes de guerres justes : les unes qui se font pour repousser un ennemi qui attaque ; les autres pour secourir un allié qui est attaqué. (*Lettres persanes*, VC).

• L'Europe se perdra par ses gens de guerre. (*Mes pensées*, 1345)

ALTRUISME

Textes :
Mes pensées

Citations :

• Pour faire de grandes choses [...] il ne faut pas être au-dessus des hommes ; il faut être avec eux. (*Mes pensées*, 1083)

• Si je savais quelque chose qui ne fût utile, et qui fût pré-judiciable à ma famille, je la rejetterais de mon esprit. Si je savais quelque chose utile à ma famille, et qui ne le fût pas à ma patrie, je chercherais à l'oublier. Si je savais quelque chose utile à ma patrie et qui fût préjudiciable à l'Europe, ou bien qui fût utile à l'Europe et préjudiciable au genre humain, je la regarderais comme un crime. (*Mes pensées*, 741).

L'ART DES FORMULES

Textes :
Lettres persanes, Mes pensées, Essai sur les causes, Esprit des lois.

Citations :

• Le pape est le chef des chrétiens ; c'est une vieille idole qu'on encense par habitude. (*Lettres persanes*, XXIX).

• Les Français ne parlent presque jamais de leurs femmes : c'est qu'ils ont peur d'en parler devant des gens qui les connaissent mieux qu'eux. (*Lettres persanes*, LV).

• On dit que les héritiers s'accommodent mieux des méde-cins que des confesseurs. (*Lettres persanes*, LVII)

• L'ignorance est la mère des traditions. (*Essai sur les causes*)

• Dans la plupart des auteurs, je vois l'homme qui écrit ; dans Montaigne l'homme qui pense. (*Mes pensées*, 633).

• La servitude commence toujours par le sommeil. (*Esprit des lois*, XIV, 13)

Anthologie critique

**Les trois scènes des *Lettres persanes* :
le regard, le sentiment, la raison**

« L'instantané du regard, ébloui et mis en verve par l'étrangeté familière des apparences ; la véhémence du cœur enfermé dans sa logique partisane (à l'inflexibilité d'Usbek répond celle de Roxane, rarement admise) ; l'effort de la raison pour s'abstraire et pointer des vérités stables : le soupçon prend que la structure épistolaire des *Lettres persanes* aurait quelque chose à voir avec les instances de la nature humaine et ses aptitudes à appréhender la réalité et la vérité. Il se pourrait bien que M. de Montesquieu fût un philosophe. Un philosophe saisi par le roman.

Ce qui importe, c'est alors moins l'équilibre entre roman, satire et philosophie, que la présence d'un noyau de fiction assez dense pour obliger le lecteur à mettre en rapport ces trois scènes, rapport toujours incertain, et donc toujours dynamique. Ce rapport a fait couler beaucoup d'encre, depuis qu'il mobilise la critique contemporaine. Quel sens donner à cette "chaîne secrète et, en quelque façon, inconnue" qui joint, selon Montesquieu, "de la philosophie, de la politique et de la morale, à un roman" ? Il ne peut s'agir du sérail, ni secret ni inconnu. On ne peut que tomber d'accord, me semble-t-il, avec ceux qui l'identifient au voyage des Persans, à leur découverte du monde et des idées, à la résistance des préjugés et des passions, au commerce épistolaire qui enchaîne les mots, les choses et les personnages, à ce qui relie la terre et le ciel, les hommes et les femmes, les princes et les sujets, l'Orient et l'Occident, le cœur, la tête et les sens, l'ordre et le désordre des choses humaines.

Ce que nous avons appris à appeler un roman. Mais qui pourrait bien être aussi de la philosophie à l'usage des honnêtes gens. »

Jean Goldzink, *Lettres persanes*,
P.U.F., 1989, pp. 101-102.

Le refus des Tyrannies

« Usbek, [...] qui sait que les hommes deviennent injustes sitôt qu'ils "préfèrent leur propre satisfaction à celle des autres", est lui-même incapable d'apercevoir sa propre injustice. Il est l'exemple d'une séparation persistante entre le domaine de la réflexion et celui des actes. L'exemple est gênant, et devrait le demeurer. On ne s'en délivrera pas en déclarant que cette sépration est la tare d'une philosophie "idéaliste", comme si le retard des actes sur les principes était le travers du seul idéalisme. De fait, Montesquieu aperçoit fort bien tous les facteurs matériels de l'histoire, et sait que la préférence que les hommes accordent à leur "propre satisfaction" est l'un de ces facteurs, et non des moindres. À travers les voix joueuses et graves de son livre, à travers l'échec d'Usbek, il nous engage à reconnaître une exigence que nous ne sommes pas près encore de savoir satisfaire : l'accord des actes et de la pensée dans une même raison libératrice, le refus des tyrannies qui engagent les peuples et qui mutilent les individus. De la réalisation de cette exigence, nous sommes aussi éloignés que l'était Montesquieu. Il convient donc de relire attentivement les *Lettres Persanes*. »

Jean Starobinski, « Critique et légitimation de l'artifice à l'âge des Lumières », in *Le Remède dans le mal*, Gallimard, 1989, pp. 120-121

Le réformisme de Montesquieu

« "Transporter dans des siècles reculés toutes les idées du siècle où l'on vit, c'est des sources de l'erreur celle qui est la plus féconde", déclare Montesquieu en XXX, 14. Nous en tirerons deux conséquences : l'une que notre auteur n'est pas un "réactionnaire", qu'il vit dans "son" temps et que son féodalisme poétique n'a rien à voir avec un réformisme prudent, mais résolu ; l'autre s'applique aux critiques de Montesquieu qui risquent de tomber dans le travers qu'il dénonce. Il écrit en 1748 ; les leçons qu'il peut donner à notre temps sont d'ordre méthodologique ou spirituel, non d'ordre pratique. On doit garder de lui l'esprit de liberté, de tolérance et de justice et peut-être aussi cette vocation spécifiquement provinciale d'un pluralisme harmonieux, d'un concert politique plutôt que d'un affrontement. Encore une fois, ce drame qu'il a soigneusement écarté de sa vie, et vers lequel un certain romantisme attire les sociétés modernes, il a voulu, de toutes ses forces et de toute sa volonté, l'éloigner aussi du corps social : le meilleur gouvernement est pour lui celui qui n'est pas malade.

Mais pour Montesquieu la France est malade. Même s'il s'agit "moins de créer une constitution nouvelle que de rendre leur vigueur à des institutions affaiblies", le limiter à une vision cyclique de l'histoire est une dérision. Il est trop facile de dire comme Althusser que Montesquieu "appartenait par conviction à ce parti d'opposition de droite de condition féodale qui n'acceptait pas la décadence politique de sa classe" ; un tel langage est condamné par son anachronisme : on ne réduit pas une telle intelligence à un schéma de cette sorte, ni Montesquieu à Boulainvilliers ou à Saint-Simon. C'est un réformisme prudent, qui suggère plus qu'il ne dit, et qui, pour la critique moderne habituée à la virulence de ton, passe pour être timoré parce qu'il est pacifique et qu'il garde les pieds sur terre. »

> Paul Vernière, *Montesquieu et l'*Esprit des lois
> *ou la raison impure*, S.E.D.E.S., 1977, p. 155.

Montesquieu ou l'héroïsme de l'esprit

« On a entendu tant de discours creux sur la séparation des pouvoirs, d'hommages vides à une gloire reconnue et faussement familière, qu'on est tenté de laisser Montesquieu à cette quiétude poussiéreuse. Surtout, habitués aux temps de crise et de paroxysme, nous croyons n'avoir plus d'usage véritable de ce philosophe, parce qu'il fut épris de la modération, voire de la médiocrité, et qu'il se donna de façon assez trompeuse comme un penseur de la voie moyenne (le compromis) et du dédain des extrémismes inutiles (la prudence de l'honnête homme). Il faut l'avoir longuement fréquenté, il faut avoir jeté le soupçon sur beaucoup de ses exégètes, soucieux de justifier leur propre goût de la médiocrité, au sens le plus ordinaire, qui n'est pas celui de Montesquieu, pour déjouer ces pièges. Les gens pressés ne pourront jamais vraiment de leur côté percevoir comment cet homme, qui sut si profondément penser les formes radicales de nos maux – culte de l'universel abstrait déguisé en amour de la vertu ou tentation brute du pouvoir à la limite où il devient pure puissance – pratiqua dans cette modération même une sorte d'"héroïsme de l'esprit", si on nous permet de prendre à Michelet (son contraire) une expression qu'il utilise à d'autres fins. En fait, nous avons besoin du vrai Montesquieu, qui sut si souvent se garder secret, par réserve intellectuelle et morale et non par dissimulation : qualité qui en fait de nos jours, il faut bien le dire, une espèce de chimère. Il est d'un temps qui croit à une intelligence du "monde moral" ; et toute sa démarche est marquée par une interrogation sur la "nature des choses", qui tend précisément à soustraire à l'arbitraire subjectif et à la quête strictement individuelle la mise en œuvre de la rationalité. »

Georges Benrekassa, *Montesquieu. La liberté et l'histoire*, Le livre de poche, 1987, p. 1.

Recherches et exercices

SUJETS DE DISSERTATIONS

1. Se demandant si les *Lettres persanes* sont un « roman de politique-fiction », Jean Goldzink voit dans l'ouvrage « un texte étrange et déconcertant, troué, bourré, oblique et sérieux, où s'invente une forme nouvelle, le roman épistolaire polyphonique et daté, où se cristallise une version particulièrement brillante de ce qu'on appellera, après coup, les Lumières, aperçues ici dans leur habit Régence ». Vous commenterez, et s'il y a lieu discuterez ce jugement, en vous appuyant sur des exemples tirés des *Lettres persanes*.

2. Dans quelle mesure l'œuvre de Montesquieu illustre-t-elle ce jugement de Jean-Marie Goulemot (*La Littérature des Lumières*, p. 64) : « Les Lumières s'affirment d'abord dans cette confiance presque aveugle dans les pouvoirs de l'intelligence. L'homme peut tout comprendre : l'histoire, le monde physique, le monde vivant, tout autant d'objets de compréhension offerte à la curiosité du philosophe et du savant. Il s'agit de mesurer, de comparer, de conjecturer (selon la formule de d'Alembert), mais aussi de s'en remettre à la science pour philosopher sur l'homme et la morale » ?

3. Vous examinerez, à l'aide d'exemples précis empruntés à l'ensemble de son œuvre, si Montesquieu a atteint l'objectif qu'il se fixe dans la « Préface » de l'*Esprit des lois* : « Je me croirais le plus heureux des mortels si je pouvais faire que les hommes pussent se guérir de leurs préjugés. J'appelle ici préjugés non pas ce qui fait que l'on ignore certaines choses, mais ce qui fait qu'on s'ignore soi-même. »

4. « La plupart des peuples d'Europe sont encore gouvernés par les mœurs. Mais si par un long abus du pouvoir, si par une grande conquête, le despotisme s'établissait à un certain point, il n'y aurait pas de mœurs ni de climat qui tinssent ; et dans cette belle partie du monde, la nature

humaine souffrirait, au moins pour un temps, les insultes qu'on lui fait dans les trois autres. »

À la lumière d'exemples empruntés aux diverses œuvres de Montequieu, vous expliquerez et au besoin discuterez cet avertissement lancé dans l'*Esprit des lois* (VIII, 8).

5. Dans quelle mesure Montesquieu, au-delà des facettes multiples de son art, est-il un philosophe de la liberté ?

DISSERTATION

Vous apprécierez à l'aide d'exemples précis ce jugement de Voltaire sur l'*Esprit des lois* : « J'aurais souhaité que le livre de Monsieur de Montesquieu eût été aussi méthodique et aussi vrai qu'il est plein d'esprit et de grandes maximes ; mais tel qu'il est, il m'a paru utile. L'auteur pense toujours et fait penser ; ses imaginations élancent les miennes. » (Lettre au duc d'Uzès du 14 septembre 1751.)

Introduction

Les sentiments de Voltaire à l'égard de Montesquieu doivent être pris en compte pour apprécier l'objectivité de ses critiques. On ne peut écarter une certaine méfiance du philosophe à l'égard d'un magistrat issu de la noblesse, jouissant d'une importante fortune et reçu dans la haute société européenne, d'un écrivain qui, avec les *Lettres persanes*, a devancé dans le domaine de la fiction romanesque caustique et critique ses *Contes*, d'un penseur qui, loin de voir dans le siècle de Louis XIV la justification du despotisme éclairé, examine avec angoisse l'évolution de la monarchie française vers un despotisme qu'il accuse Louis XIV d'avoir progressivement mis en place.

I. Le manque de méthode

1. On peut effectivement s'interroger parfois avec Voltaire sur l'ordre adopté dans la composition de l'*Esprit des lois* et dans l'exposition des matières. Montesquieu prodigue les divisions et ventile son livre en six cent cinq chapitres de longueur inégale. Il fragmente et place en des endroits fort éloignés les uns des autres le développement d'une même question. Parfois cette confusion apparente, qui adopte le procédé des renvois cher au *Dictionnaire* de Bayle et repris dans l'*Encyclopédie*, s'explique par le souci de disperser les allusions et de rendre l'ouvrage moins subversif.

2. Ce que Voltaire considère comme un manque de méthode provient également de la cécité croissante de Montesquieu. L'écrivain est contraint progressivement à dicter plutôt qu'à écrire l'*Esprit des lois*, ce qui ne nuit en rien à l'éloquence et à l'harmonie de son style, mais le conduit à morceler ses chapitres. Par ailleurs l'angoisse devant l'affaiblissement de sa santé l'a poussé à précipiter la publication de son œuvre : « J'avais conçu le dessein de donner plus d'étendue et plus de profondeur à quelques endroits de cet ouvrage ; j'en suis devenu incapable [...]. Dans l'état déployable où je me trouve, il ne m'a pas été possible de mettre à cet ouvrage la dernière main et je l'aurais brûlé mille fois, si je n'avais pensé qu'il était beau de se rendre utile aux hommes jusqu'aux derniers soupirs même. » C'est là qu'il faut trouver l'explication des deux appendices historiques placés à la fin de l'*Esprit des lois* : sur les instances du pasteur Joseph Vernet, chargé de surveiller l'impression de l'ouvrage à Genève, Montesquieu rédige deux livres sur les lois féodales et leur rapport avec l'établissement de la monarchie en France. L'ensemble de l'*Esprit des lois* étant déjà imprimé, les livres XXX et XXXI sont placés après la conclusion de l'ouvrage, le livre XXIX.

3. Au cours des vingt années qu'il a consacrées à composer son ouvrage et peut-être sous l'influence de ses voyages, Montesquieu a évolué. De là proviennent deux glissements dans sa pensée. Convaincu au départ – comme on le voit dans les huit premiers livres – que le gouvernement républicain, illustré par la vertu et les mœurs des républiques antiques, est préférable à la monarchie, Montesquieu découvre le « misérable » spectacle des républiques d'Italie, puis la liberté accordée aux citoyens anglais. Il en conclut que la monarchie est un régime d'avenir et écrit dans le livre XI que les Anciens ne pouvaient s'en forger une idée juste. L'autre évolution n'a pas moins de portée : la tripartition des gouvernements qui domine les premiers livres s'efface progressivement devant les conceptions de gouvernement modéré et de distribution des pouvoirs. « L'inconvénient n'est pas lorsque l'État passe d'un gouvernement modéré à un gouvernement modéré, comme de la république à la monarchie, ou de la monarchie à la république, mais quand il tombe ou se précipite du gouvernement modéré au despotisme » (VIII, 8).

Affirmant dès sa « Préface » la solidité de l'ouvrage et la rigueur logique de la « chaîne » qui structure son livre, Montesquieu sera mieux compris par d'Alembert qui note dans son *Éloge de Montesquieu* : « Le désordre n'est qu'apparent, quand l'auteur, mettant à leur véritable place les idées dont il fait usage, laisse à suppléer aux lecteurs les idées intermédiaires. »

II. L'esprit de Montesquieu et ses maximes

Les réserves de Voltaire fondent devant la manière éblouissante de Montesquieu.

1. La gravité. Si on aborde l'*Esprit des lois* avec l'espoir d'y découvrir des délicieuses impertinences ou des traits amusants comme ceux qui foisonnent dans les *Lettres persanes*, on ne manquera pas d'être déçu. Le chapitre 5 du livre XV, « De l'esclavage des nègres » adopte un ton ironique à propos des préjugés sur la pigmentation des « nègres », mais pour contribuer à accentuer le caractère odieux du racisme ; et la composition périodique maintient l'ensemble du texte dans le ton sérieux d'un plaidoyer qui tourne au réquisitoire et au pamphlet. Faisant exploser une indignation de même nature dans la « Très humble remontrance aux Inquisiteurs d'Espagne ou du Portugal », Montesquieu renonce à toute ironie : le placet de l'auteur juif anonyme prend toute sa force dans le recours à une « remontrance », qui permet un tour oratoire, une logique rigoureuse et la recherche de formules frappantes.

2. C'est justement dans la recherche des formules que l'on peut découvrir l'« esprit » de Montesquieu. De nombreux chapitres accumulent les antithèses et les chiasmes (« Laissez-lui faire les choses frivoles sérieusement, et gaiement les choses sérieuses », XIX, 5), les comparaisons et les formules éclatantes (« Le peuple romain, plus qu'un autre, s'émouvait par les spectacles. Celui du corps sanglant de Lucrèce fit finir la royauté », XI, 15). Cet art de l'opposition, de la concision ou de l'image expressive confère tout naturellement aux idées les plus simples l'allure et la vigueur d'une maxime. On comprend donc que Voltaire ait associé chez Montesquieu les maximes à l'esprit et qu'il écrive plus loin dans sa Lettre au duc d'Uzès : « Il faut avouer que peu de personnes ont autant d'esprit que lui, et sa noble hardiesse doit plaire à tous ceux qui pensent librement. »

III. L'homme des Lumières

1. Malgré ses réserves, Voltaire apprécie donc chez Montesquieu un style qui s'engage hardiment dans une pensée libre. Dans les *Lettres persanes*, la satire politique et religieuse avait assuré la gloire de l'auteur. Moins visible, la hardiesse de l'*Esprit des lois* n'échappe pas à Voltaire : le philosophe y devine, derrière des maximes à valeur universelle, des critiques contre Louis XIV (« Un homme à qui ses cinq sens disent sans cesse qu'il est tout et que les autres ne sont rien, est naturellement paresseux, ignorant, voluptueux. Il abandonne donc les affaires », II, 4) ou contre l'état de la France (« Les pays ne sont pas cultivés en raison de leur fertilité, mais en raison de leur liberté », XVIII, 3). Il apprécie un ouvrage où la haine du despotisme apparaît comme fondamentale.

2. Voltaire ne fait pas moins cas de l'optique sociologique adoptée par Montesquieu pour étudier la religion, attitude scientifique aussi violemment contestée par les Jésuites – qui reprochent à l'auteur d'expliquer le suicide et la polygamie par le climat – que par les Jansénistes – qui déclarent l'*Esprit des lois* fondamentalement opposé à la religion révélée. Les points sur lesquels l'Église attaque Montesquieu sont pour Voltaire ceux qui donnent sa force à l'ouvrage, car ils contribuent à son combat contre « l'Infâme », c'est-à-dire la religion chrétienne. Et le philosophe reconnaît que Montesquieu a su dénoncer les abus du fanatisme, de l'ignorance et de la corruption.

3. Pour toutes ces raisons Voltaire est contraint d'admirer Montesquieu : « L'auteur pense toujours, et fait penser ; c'est un rude jouteur, comme dit Montaigne ; ses imaginations élancent les miennes. » La « Préface » de l'*Esprit des lois* affirme la solidité d'un ouvrage longuement médité, et les intentions didactiques de son auteur : « C'est en cherchant à instruire les hommes que l'on peut pratiquer cette vertu générale qui comprend l'amour de tous. » Si Voltaire reprend une phrase des *Essais* : « Si je confère avec une âme forte et un roide jouteur, il me presse les flancs, me pique à gauche et à dextre, ses imaginations élancent les miennes », on remarquera que Montaigne écrivait « roide ». Il envisageait un adversaire que rien ne peut faire plier et empruntait la terminologie des tournois. L'éloge de Voltaire, qui voit dans l'*Esprit des lois* un texte roboratif pour la pensée, reste nuancé : en parlant des « imaginations » de Montesquieu, il désigne des pensées spontanées échappant au contrôle de la raison.

Conclusion

La référence à Montaigne, pour mieux faire comprendre le plaisir et le profit retirés de l'*Esprit des lois*, relève du parallèle obligé entre deux magistrats bordelais qui ont renoncé à leur charge pour réfléchir sur les hommes et transmettre leurs réflexions à la postérité. Mais alors que la fragmentation des *Essais* est volontaire, l'affirmation de désordre dans l'*Esprit des lois* est contestable, s'agissant d'un philosophe qui a médité durant vingt ans selon des principes cartésiens.

Quant à l'utilité de l'*Esprit des lois*, elle ne nous paraît plus bornée au développement de quelques thèmes chers à la pensée des Lumières. Ce livre permet de découvrir une philosophie de la liberté aux prises avec l'intelligence de l'histoire et de comprendre pourquoi depuis deux siècles Montesquieu a donné leur architecture à tant de constitutions.

SUJETS D'EXPOSÉS

– Les divers aspects de la fiction orientale dans les *Lettres persanes*.

– Les *Lettres persanes*, roman noir.

– Magie et baroque dans les *Lettres persanes*.

– La nature, le fonctionnement et les buts de l'Inquisition à travers les *Lettres persanes* (lettre XXIX) et la « Très humble remontrance aux inquisiteurs d'Espagne et de Portugal » (*Esprit des lois*, XXV, 13).

– L'ironie de Montesquieu dans les *Lettres persanes* et l'*Esprit des lois* : ses formes, ses buts et son efficacité.

– Le déterminisme historique de Montesquieu.

- L'idée de nature chez Montesquieu.
- Trois mythes caractéristiques de Montesquieu : le despotisme, Rome, l'Angleterre.
- Deux visions des institutions anglaises : Montesquieu (*Esprit des lois*, XI, 6) et Voltaire (*Lettres philosophiques*, IX et X).
- La liberté et les formes de gouvernement chez Montesquieu.
- Montesquieu et le droit constitutionnel moderne.

Lexique

Anthropocentrisme : théorie qui fait de l'homme le centre du monde et considère que tout se rapporte à lui.

Apologue : court récit de forme allégorique (empruntant les traits d'une personne vivante pour représenter une notion abstraite) renfermant une leçon ou une morale.

Aristocratique (république) : république où la souveraineté repose sur une minorité, considérée comme supérieure au reste du peuple qui demeure à l'égard de cette minorité dans la même situation que les sujets envers le souverain.

Athéisme : doctrine ou attitude niant l'existence de Dieu.

Casuistique : étude des cas de conscience, c'est-à-dire de la manière dont les lois générales de la religion et de la morale doivent être appliquées dans des circonstances particulières. Pour Montesquieu c'est en fait l'art de dissimuler la mauvaise foi sous de fallacieuses subtilités.

Contre social : convention à l'origine de la société civile.

Déisme : croyance en l'existence d'un Dieu créateur – sans qu'il soit pour autant le Dieu des monothéismes –, mais qui rejette les dogmes et l'idée d'une révélation.

Despotisme : régime fondant l'obéissance absolue sur la crainte et abêtissant ses sujets.

Destinataire : celui à qui s'adresse une lettre.

Destinateur : locuteur, c'est-à-dire scripteur d'une lettre adressée au destinataire. Le destinateur d'une lettre n'a aucun rapport avec l'auteur du roman.

Déterminisme : doctrine selon laquelle tous les événements (et notamment les actions des hommes) dépendent de causes qui les suscitent nécesairement et auront eux-mêmes des effets nécessaires.

Distanciation : recul pris à l'égard d'un personnage ou d'un objet (ou d'un pays, comme la France dans les *Lettres persanes*).

Droit civil : droit réglementant, au sein des sociétés humaines, les droits individuels et les libertés du citoyen.

Droit des gens : droit international qui régit les rapports des nations entre elles ou des sujets de ces nations entre eux.

Droit moral : droit résultant de l'opinion morale et non du législateur.

Droit naturel : droit résultant de la nature des hommes et venant de la divinité, indépendamment de toute convention.

Droit politique : droit concernant la forme du gouvernement et des pouvoirs publics, c'est-à-dire à la fois le droit constitutionnel et le droit politique réglementant la vie de chaque société humaine.

Droit positif : droit résultant des lois écrites ou des coutumes passées à force de loi.

Empirisme : méthode de pensée ne s'appuyant que sur l'expérience ; philosophie affirmant que toutes les connaissances viennent d'abord des sens et qu'il n'existe pas dans l'esprit humain d'idées innées.

Fatalisme : doctrine admettant que tous les événements sont fixés à l'avance par une cause unique, naturelle (le destin) ou surnaturelle (Dieu).

Honneur : fondé sur l'obéissance, la franchise, la politesse et la générosité, l'honneur naît du culte de soi et du désir de se distinguer par rapport aux autres. Ce sentiment constitue le principe de toute monarchie.

Hyperbole : expression exagérée, dépassant l'idée qu'elle est chargée de mettre en relief.

Machiavélisme : système politique érigé en doctrine par Machiavel dans *Le Prince* (1513, publication en 1532), qui préconise l'utilisation de tous les moyens dans l'art de gouverner sans distinction du bien ou du mal. Plus que le réalisme politique, Montesquieu voit dans le machiavélisme la croyance à l'efficacité de la manipulation et de l'intrigue.

Métaphysique : construction de l'esprit ne s'appuyant sur aucun fait d'expérience et ayant pour objet la connaissance de l'être absolu, l'existence de Dieu, de l'âme, etc.

Modération : manière de gouverner définie par :
– un climat favorisant l'esprit de liberté ;
– une tension spontanée ou volontaire qui maintient cet esprit de liberté dans une juste mesure ;
– le respect de l'esprit général de la nation ;
– l'équilibre des pouvoirs et la limitation de toute puissance par le pouvoir des autres.

Mœurs : ensemble des habitudes, des usages et des coutumes inspirant la vie des hommes.

Nature (d'un gouvernement) : structure particulière d'un régime politique ; sa nature est indissociable de son principe (voir ce mot).

Pastorale : ouvrage littéraire dans lequel les personnages sont des bergers, dépeints de façon conventionnelle et raffinée.

Polyphonie : présence, dans un roman épistolaire, de nombreux correspondants.

Pouvoirs intermédiaires : pouvoirs dépendant du monarque et soumis à son autorité, mais dont l'existence limite la puissance du roi et met ses sujets à l'abri de l'arbitraire ; ils garantissent ainsi la liberté.

Principe (d'un gouvernement) : expression politique des mœurs et de l'esprit des hommes, c'est-à-dire de leur comportement concret. Cette passion collective constitue la condition d'existence d'un gouvernement (voir Nature).

Prosélytisme : volonté ardente ou indiscrète de convertir à une religion.

Rationalisme : doctrine selon laquelle la raison est en accord avec le monde et permet à l'homme de le connaître et d'agir sur lui.

Séparation des pouvoirs : indépendance totale des pouvoirs exécutif, législatif et judiciaire. En fait Montesquieu préconise non une étanchéité complète entre les pouvoirs, mais un partage équilibré entre eux.

Sociologie : étude scientifique des sociétés humaines et des faits sociaux.

Utopie : construction imaginaire d'un gouvernement idéal.

Vertu : vertu politique reposant sur une vertu morale dirigée vers le bien général, la vertu constitue le principe (voir ce mot) du gouvernement républicain.

Bibliographie

Éditions

Œuvres complètes éditées par Roger CAILLOIS, « Bibliothèque de la Pléiade », Gallimard, Paris, 1949-1951.

Œuvres complètes éditées par André MASSON, Nagel, Paris,
1950-1956.

Lettres persanes éditées par :

– Antoine ADAM, Droz, Paris, 1956.

– Jean STAROBINSKI, « Folio », Gallimard, Paris, 1973.

Considérations... éditées par Jean EHRARD, Garnier-Flammarion, Paris, 1968.

Esprit des lois édité par :

– Jean BRETHE de la GRESSAYE, Belles-Lettres, Paris, 1950-
1961.

– Robert DERATHÉ, Garnier, Paris, 1973.

– Victor GOLDSCHMIDT, Garnier-Flammarion, Paris, 1979.

Sur Montesquieu : trois ouvrages fondamentaux

Georges BENREKASSA, *Montesquieu. La liberté et l'histoire*,
Livre de Poche, L.G.F., Paris, 1987.

Louis DESGRAVES, *Montesquieu*, Éditions Mazarine, Paris,
1986.

Simone GOYARD-FABRE, *Montesquieu : La nature, les lois, la
liberté*, P.U.F., Paris, 1993.

Jean STAROBINSKI, *Montesquieu par lui-même*, Le Seuil,
Paris, 1994.

Sur les *Lettres persanes*

Michel et Jeanne CHARPENTIER, *Lettres persanes*, coll.
« Balises », n° 72, Éditions Nathan, Paris, 1993.

Jean GOLDZINK, *Lettres persanes*, P.U.F., Paris, 1989.

Réal OUELLET et Hélène VACHON, *Lettres persanes*, Hachette,
Paris, 1976.

Jean STAROBINSKI, « Critique et légitimation de l'artifice à
l'âge des Lumières », in *Le Remède dans le mal*, Gallimard, Paris, 1989.

Pierre TESTUD, « Les *Lettres persanes*, roman épistolaire », *in Revue d'Histoire littéraire*, oct.-déc. 1966.

Sur les *Considérations*

Georges BENREKASSA, *La Politique, sa mémoire: le politique et l'historique dans la pensée des Lumières*, Payot, Paris, 1983.

David LOWENTHAL, « Le dessein des Considérations de Montesquieu », *in Montesquieu, Cahiers de philosophie politique*, Ousia, 1985.

Sur l'*Esprit des lois*

Louis ALTHUSSER, *Montesquieu, la politique et l'histoire*, P.U.F., Paris, 1959.

Jean EHRARD, *Politique de Montesquieu*, Armand Colin, Paris, 1965.

Paul VERNIERE, *Montesquieu et l'*Esprit des lois *ou la raison impure*, S.E.D.E.S., Paris, 1977. (Ouvrage de référence.)

ANNEXES

Aubin Imprimeur
LIGUGÉ, POITIERS

Achevé d'imprimer en septembre 1994
N° d'édition 10023/49 (I) 3-OSB-80°
N° d'impression L 46319
Dépôt légal septembre 1994
Imprimé en France